독립출판 비밀 노트

당신도 작가의 꿈을 이룰 수 있다!

독립출판 비밀 노트, 당신도 작가의 꿈을 이룰 수 있다!

발 행 | 2024년 2월 15일
저 자 | 한요진
펴낸이 | 한건희
펴낸곳 | 주식회사 부크크
출판사등록 | 2014.07.15.(제2014-16호)
주 소 | 서울특별시 금천구 가산디지털1로 119 SK트윈타워 A동 305호
전 화 | 1670-8316
이메일 | info@bookk.co.kr

ISBN | 979-11-410-7193-6

www.bookk.co.kr

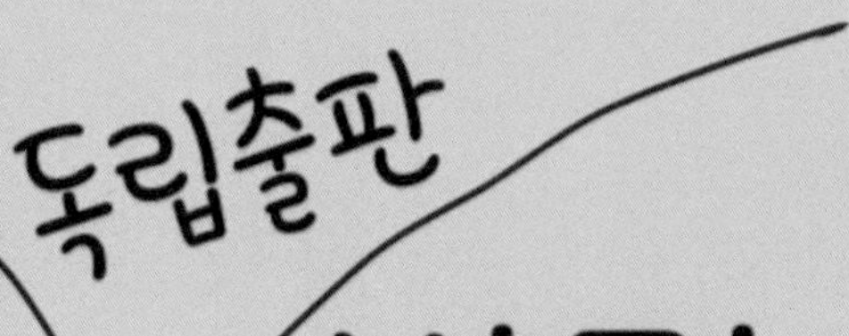

비밀 노트

당신도 작가의 꿈을 이룰 수 있다!

CONFIDENTIAL

한요진 씀

독립출판 성공한 작가가 쓴 필요

예산은 0원!

한컴오피스와 파워포인트로 POD

독립출판하는

Easy Tutorial Book & Essay!

BOOKK

저자: 한요진
문화학 박사
한국예술인복지재단 신진예술인

역서: (다시 읽는) 신여성 창간호(2023, 부크크)
저서: 코로나19와 함께 한복, 코스프레(2022, 부크크)
나의 코스프레 철학 탐구(2021, 부크크)
강연: 돈의문 야학당 문예반 편집실의 '우당통탕' 독립출판 도전기 (2023, 돈의문박물관마을)
'한땀한땀' 커뮤니티(2022, 강북청년창업마루)
정신차리니, 나도 작가(2021, 마포구립서강도서관)
창의융합형 인재를 위한 인문학 강연(2020, 청주공업고등학교)

목 차

Prologue. 책 소개

예비 작가님!

제 독립출판 비밀 노트를 선택해 주셔서 감사합니다.

이 책은 '독립출판'을 하고 싶은데, 그 방법을 모르는 분께 저의 노하우를 전달해 드리고자 제작한 전자책입니다. 책은 크게 2개의 영역으로 구성되어 있습니다. 첫 번째는 제가 출판에 실패했던 내용의 짧은 수필이고, 두 번째는 독립출판에 성공한 노하우를 꽉꽉 채운 독립출판 방법에 대한 설명서입니다.

책 만들기가 어렵게 느껴지셨나요? 한컴오피스와 파워포인트만 할 수 있으시면 예비 작가님도 독립출판을 진행하실 수 있습니다. 제가 소개해 드리는 독립출판 방법은 종이책, 전자책(PDF) 두 가지로 모두 정식 출간이 가능합니다. 또한 POD 출판 방법이기 때문에 예비 작가님께서 출판에 들이셔야 하는 비용은 0원입니다. 책은 인터넷 교보문고, YES24, 알라딘에서 정식으로 판매가 될 것이고, 판매되면 작가님께 10%의 인세가 지급될 것입니다.

그 방법이 궁금하시지요?

저와 함께 차근차근 독립출판하는 방법을 익혀보아요!

곧 작가님의 신작이 출간될 것입니다.

Part 1. 타인의 실패담은 재미있다! 출판 도전과 실패, 성공까지의 이야기

출판을 꿈꿔온 예비 작가님!

아마 작가님께는 이미 출간에 필요한 분량의 원고가 있으실 거예요. 유명 출판사에 투고하여 고배를 마셨을 수도 있고, 출판사의 제안과 계약 내용이 불합리한 점이 있어 출판을 망설이고 계실 수도 있습니다. 고민하시다가 독립출판에 대해 관심을 갖고, 독립출판 작가를 꿈꾸셨을 것 같아요. 큰 고민 끝에 제 독립출판 비밀 노트를 선택해 주신 것은 정말 탁월하셨습니다!

독립출판 튜토리얼에 대해 설명해 드리기 전에, 저의 출판 경험을 들려드리고자 해요. 출판의 꿈을 꾼 이유, 왜 독립출판을 선택했는지, 어떤 실패가 있었는지를 말씀드려보겠습니다. 뭐니 뭐니해도 타인의 실패담만큼 재미있는 것(?)은 없지요! 저의 실패담을 반면교사 삼으셔서 예비 작가님께서는 먼 길 돌아가지 마시고, 빠른 지름길로 출판의 꿈을 이루시길 바랍니다.

1. 출판의 꿈

제 전직은 사서였습니다. 이용자가 원하는 희망도서를 신청받고, 신간 도서 중 학생들에게 도움이 될 만한 책을 골라 수서하여 대출, 반납하였습니다. 도서관과 친해지기를 바라는 마음에서 달에 1번은 행사를 치르며 학생들을 간식과 상품으로 유인해 도서관에 발걸음하도록 했지요. 근무는 참 재미있었고, 고되기도 했습니다. 도서관 서가에 매일 책을 꽂으며 이런 생각을 했어요.

'이 넓은 도서관에 내가 쓴 책 하나쯤은 있어도 되지 않나?'

내 책이 도서관에 있었으면 좋겠다는 꿈이 생기니 어떤 책을 쓰고 싶은지도 바로 감이 왔어요. 제가 좋아했던 취미, 분야에 대한 책을 쓰고 싶었습니다. 책의 주제와 분야가 확정되면서 꿈도 더 명확해졌어요.

'내 꿈은 내가 쓴 책이 국립중앙도서관에 납본되는 것!'

그렇습니다. 저의 꿈은 책이 많이 팔리거나, 유명한 작가가 되는 것이 아닌 그저 제 책이 도서관에 수서되는 것. 그것이 없어요. 만약 제가 지금도 사서로 근무했다면, 제가 근무하는 도서관마다 제 책을 수서하는 권력의 단맛을 보았겠지만, 안타깝게도 현직은 사서가 아닌지라 도서관은 저라는 독재자의 횡포를 벗어났습니다. 참으로 다행스러운 일이지요?

다시 꿈 이야기로 돌아가면, 저는 그저 제 책이 출판되는 것 자체가 꿈이었기 때문에 출판의 방식이 어떤 것이든 상관없었습니다. 다만 출판 방법을 알지 못해서 꿈으로만 몇 해를 간직하고 있었는데요. 그러던 어느 날, 마포구립서강도서관에서 '정신 차리니, 책 한 권'이라는 독립출판 수업을 들을 수강생을 모집한다는 소식을 알게 되었습니다. 평소 공공도서관 대중 강연에 관심이 많았는데요, 저의 꿈과 연관된 출판 수업이라니 당연히 흥미가 갈 수밖에 없었습니다. 아이돌 공연 티케팅이 '피케팅'이라던데, 거의 그런 수준으로 강연 신청 시작 시각을 기다렸고 결국 수강 신청에 성공했습니다! 만세! 후일담을 들어보니 수강 신청 15분 만에 마감이 되었다더군요. 학교 수강 신청도 이렇게 열심히 안 해봤는데, 부지런 떤 덕분에 성공했습니다.

수업은 크게 네 파트로 구성되었습니다. 독립출판의 정의,

원고 작성법, 원고 편집 방법, 제본 방법이었어요. 제가 들어본 결과 독립출판의 정의에서 출판사의 출간과 독립출판의 장점을 알게 되었고, 출판사에 투고하는 방법에 대해서도 대략 알게 되었어요. 원고 작성법의 경우는 원고 주제에 따른 범위 설정이랄지, 목차를 종류별로 묶어 정돈되게 하는 법 등을 배웠고요. 원고 편집 방법은 '인디자인'이라는 책 제작 전용 툴에 대해 배우고 익혔습니다. 마지막으로 제본 방법은 수제 제본하는 고급 양장법에 대해 기초를 배울 수 있었습니다. 책의 물성과 내용 모두를 아우르는 알찬 커리큘럼이었지요. 이 수업을 들은 것이 꿈으로 한 걸음 다가가는 길이었습니다.

수업을 들으러 가면서 제 원고는 열심히 작성 중이었는데요, '출판사에 투고를 한번 해보자!'는 생각으로 실천하게 되었습니다. 출판사와 인연이 닿아 출간하는 것도 좋고, 독립출판은 방법을 배우고 있으니, 마음만 먹으면 할 수 있다는 생각이었습니다. '되면 좋고, 아니면 말고'의 정신 상태였어요.

그렇게 여러 출판사를 찾아보고, 원고 투고를 진행했는데 운이 좋게 한 출판사와 연결이 되어 계약을 진행했습니다. 지금 돌이켜보면, 결과론적으로는 악수였어요. 한마디로 망했어요. 왜 망했는지, 망한 썰을 지금부터 풀어봅니다! 원래 세상에서 남의 망한 이야기가 제일 재미있는 거예요. 제가 지금부터 재미있게 해드릴게요.

2. 출판사와의 계약과 좌절

저는 2019년 모 출판사와 출판 계약을 진행했습니다. 원고까지 모두 넘긴 상태에서 코로나19가 발발했고, 출판사에서는 판매량이 많지 않을 도서인데, 행사도 없는 상태에서 홍보하여 도서를 판매하기 어려운 상황이므로 출간을 코로나 이후로 미루자고 했습니다. 계약서상의 '갑'은 저였지만 여러 계약 조건을 비추어 보아 실제로는 제가 '을'인 입장이었기 때문에 동의했지요. 사회 상황에서 미루는 것이 합리적이라고 생각하여 동의하기도 했고요.

그렇게 2년이 흐르고 코로나19의 거리두기도 종료가 되었는데 출판사에서는 전혀 연락이 없었습니다. 계약서에 명시된 대로 저는 '내용증명'을 보냈습니다. 그러자 출판사에서 전화가 왔습니다. 통화해 보니, 제 원고의 존재 자체를 잊고 있었더라고요. 폴더에 저장만 해두고 전혀 출판할 생각을 하지 않고 있었습니다.

속에서 울화가 치밀었습니다. 지하 깊숙이 끓어오르는 1000℃의 마그마를 입으로 내뿜는 용이 될 수 있을 것 같은 기분! 소위 말하는 '뚜껑 열린다.'는 기분이 이런 걸까요? 믿고 기다렸는데 그 결과가 제 자식 같은 원고가 출판사 컴퓨터 폴더 속에 햇수로 3년간 내팽개쳐져 있던 것입니다. 제 머릿속은 온통 배신감으로 차올랐습니다. 더 이상 출판사를 믿을 수 없었습니다. 출판사의 귀책 사유이지만 법적 책임을 묻지 않는 것을 조건으로 계약을 파기했습니다. 제가 출판사처럼 자문 변호사가 있는 것도 아니고, 그렇다고 출판사가 제게 준 계약금도 뭣도 없으니, 출판사가 제게 보낸 이메일 하나로 출간계약은 해지되었습니다. 잘 살라고 입양 보낸 집에서 파양 당해 온 내 새끼(원고)를 잡고 속으로 많이 울었습니다.

작가의 인지도와 상황에 따라 다르겠지만, 출판사와 계약을 하면 장단점이 있습니다. 우선 작가의 인지도에 따라 계약금 혹은 선 인세를 주고, 책의 편집부터 제목과 프로모션, 판매까지 모두 출판사에서 책임을 집니다. 단점도 있어요. 저는 신인이라고 해서 계약금은 없었고, 인세 10%만 계약 조건이었습니다. 제 원고의 특성상 사진 자료가 많이 들어갔는데요, 원고에 실은 사진은 다른 곳에 사용하려면 '출판사에 동의를 구해야 하는' 계약 조건이 명시되어 있었습니다. 사진의 저작권, 혹은 초상권은 저인데, 이용하려면 출판사에 동의를 구해야 하는 아이러니한 상황이 되는 거죠.

한마디로 원고가 볼모가 된 셈입니다. 출판사에서 제 원고를 볼모로 잡아두고, 출판할 생각을 아예 하지 않고 있던 이유는 제 원고가 '비주류'에 '돈이 되지 않을 원고'이며 제가 '무명 신인'이었기 때문으로 파악됩니다.

출판사는 법적으로 '제조/판매업'으로 분류됩니다. 책을 많이 팔아 수익을 남기는 것이 목적입니다. 많이 팔리지 않는 책은 그들에게 가치가 없는 책입니다. 만약 예비 작가님의 원고가 대중에게 인기가 있을 책이고, 사람들이 많이 관심 두는 분야이며 예비 작가님이 유명인이시라면, 이름난 출판사에 투고하셔서 계약을 진행하시는 것이 바람직할 것입니다. 하지만 저처럼 무명이고, 독립출판에 꿈을 가진 분이시라면, 저는 작가님께 적극적으로 독립출판을 권하고 싶습니다. 많은 사람이 읽는 책이 꼭 좋은 책인 것만은 아닙니다. 특정 분야의, 소수의 사람에게 도움이 되거나 특별한 간접 체험을 줄 수 있는 책도 소중합니다. 작가님의 소중한 원고를 소중히 다뤄줄 독자를 만나는 방법, 바로 독립출판에 그 길이 있습니다.

3. 성공의 길은 독립출판에 있다

참 다행스럽게도 앞서 말씀드린 바와 같이, 저는 2019년 봄부터 여름까지 공공도서관에서 진행한 '독립출판 수업'을 들었고, 2021년 제 석사 논문을 재편집하여 '나의 코스프레 철학 탐구'라는 책 독립출판에 성공했습니다. 이미 출간하는 방법을 다 알고 있는데, 제 자식 같은 원고를 홀대하는 출판사와 출간을 할 이유가 전혀 없지요.

그렇다면, 당시 출판하려 했던 원고는 어떻게 되었나! 궁금한 분들이 계실 것 같은데요. 계약을 파기한 후에 그 원고를 독립출판하려고 했으나, 일단 중단한 상태입니다. 책에도, 작품에도 유행이란 것이 있는데, 제가 원고를 작성한 지 이미 6년이 지났기 때문에 출판하기에는 너무 늦은 것 아닌가 하는 생각을 하게 되었습니다. 추후에 어떤 기회가 되어, 웹상으로 공개하는 정도로 해볼까 생각만 하고 있어요.

대신 저는 2022년에 '코로나19와 함께 한복, 코스프레'라는 책을 또 독립출판 했습니다. 한복으로 캐릭터를 코스프레한 내용인데요. 한복도 직접 제작하고 사진도 삼각대로 혼자 찍고, 원고도 직접 쓰고 독립출판까지 진행해 만든 책입니다.

혼자 모든 과정을 마쳤다는 뿌듯함이 있는 책이었어요.

위에 언급한 책을 출간할 때까지는, 저 자신에게 초점이 맞춰져 있었는데요. 지난 시간을 반추하고 사색한 결과, 타인에게 도움이 되는 책이 더 가치가 있겠다고 생각하게 되었습니다. 그래서 제가 알게 된 노하우를 담아 독립출판을 안내하는 이 원고를 작성하게 된 것입니다.

꿈 많고, 용기 있는 예비 작가님을 위해 저의 독립출판 노하우를 이 책에 꽉꽉 채워 담아냅니다. 제 노하우와 함께 원고를 편집하고, 편집한 작가님의 원고를 업로드만 하면, 출간은 끝입니다. 그 과정이 궁금하시지요?

우리가 출간하는 방법은 '부크크(BOOKK)'라는 POD 전문 출판사에 도서 제작과 유통을 맡기는 방법입니다.

POD란?

Publish On Demand의 약자입니다. 주문이 들어오면, 그때 도서를 생산하여 구매자에게 전달하는 방식이에요. 디지털 프린트 방식이기 때문에 소량 생산이 가능하여 최근 널리 퍼진 도서 제작 방법입니다. 수요량에 맞춰 도서를 만들기 때문에 재고가 없어요. 책을 보관해야 하는 창고 대여비 등이 발생하지 않지요. 유지비용에 적은 장점이 있고, 대신 대량생산 하는 방식의 도서보다는 책 제작 단가가 높아서 도서 정가도 대량생산 방식보다는 조금 높게 책정됩니다.

도서 제작과 유통은 '부크크'가 하면, '작가'가 해야 할 일은?

예비 작가님께서 하셔야 할 일은 부크크에 등록할 원고와 책 표지를 제작하고 업로드 하시는 일입니다. 원고와 표지 모두 출간 직전의 완성형 원고로 업로드 하셔야 해요. 원고 서식은 부크크에서 샘플을 제공하고 있으니, 샘플을 변형해서 쓰시면 되어서 어려운 것 없으세요. 표지의 경우 제가 차근차근 설명 드릴 테니, 걱정하실 것 없습니다.

한 가지 더. 작가님께서는 책 출간 후에 책 홍보 및 마케팅도 담당하셔야 합니다. 부크크에서 광고는 따로 해주지 않기 때문이에요. 예비 작가님께서 직접 개인 SNS, 지인에게 널리 홍보해 주세요. SNS 광고 등을 이용하는 방법도 좋은 선택입니다.

4. 정식 독립출판의 중요성

① ISBN의 중요성

일단, 독립출판은 2가지 종류로 나눌 수 있어요. 정식 출간과 비정식 출간이 있습니다. 그 기준은 책에 ISBN이 발급이 되어있는지, 아닌지로 나눌 수 있어요.

제가 말하는 '정식 출간'이란 ISBN을 받은 책을 출간함을 뜻합니다. ISBN은 International Standard Book Number의 약자입니다. 한국어로는 '국제표준도서번호'라고 하는데요, 말 그대로 국제적으로 사용하는 책에 부여하는 번호입니다. 사람으로 치면 주민등록번호라고 예시를 들 수 있겠네요.

ISBN은 국립중앙도서관에서 관리하는 제도입니다. 정식 출판사만 이 번호를 신청할 수 있어요.

책의 판형을 하고 있어도 ISBN이 없다면, 정식 출간물이 아닙니다. 왜 정식 출간물이 중요한지, ISBN을 발급받은 책을 출간하면 무엇을 할 수 있는지, 제가 그 예시를 2가지 설명해 드릴게요.

② 예술활동증명 (예술인 등록)

한국예술인복지재단 홈페이지

한국예술인복지재단에서는 '예술활동증명'이란 제도를 실시하고 있습니다. 여러 예술활동 분야에서 공식적으로 활동한 이력이 있으면 예술가라는 인증을 해주는 제도입니다. 예술인 인증을 받으면 예술인복지재단에서 실시하는 예술사업에 신청하여 지원금을 받을 수도 있고, 지원사업에 신청하여 예술인 생활안정자금(대출), 예술인 국민연금 보험료 지원, 예술인 산재보험, 예술인 고용보험 등을 신청할 수도 있습니다.

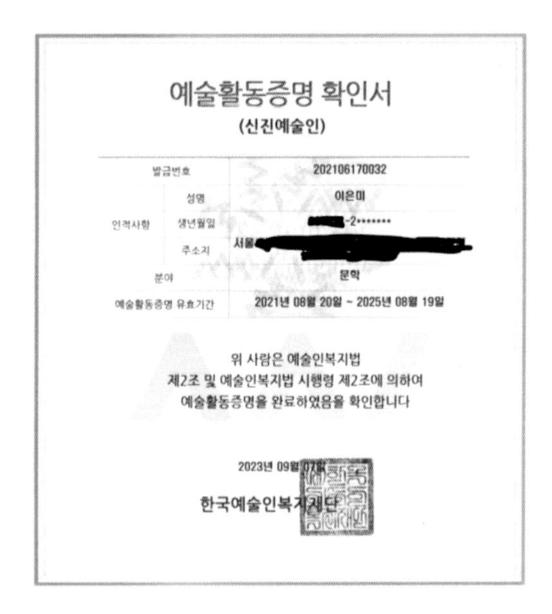

예술활동증명 확인서

(신진예술인)

발급번호		202106170032
인적사항	성명	이은미
	생년월일	-2******
	주소지	서울
분야		문학
예술활동증명 유효기간		2021년 08월 20일 ~ 2025년 08월 19일

위 사람은 예술인복지법
제2조 및 예술인복지법 시행령 제2조에 의하여
예술활동증명을 완료하였음을 확인합니다

2023년 09월 07일

한국예술인복지재단

예술활동증명 확인서

실제로 가장 혜택을 많이 받을 수 있는 제도는 '예술인패스'인데요. '예술활동증명'이 되어 '예술인'으로 등록된 분들은 '예술인패스'를 발급받아 전시 무료입장이나 공연 입장료 혜택을 받으실 수 있어요.

예술인 패스

예비 작가님이 독립출판에 성공하면, 예술활동증명을 신청하여 이러한 혜택을 받으실 수 있습니다. 예술활동증명 신청 기준이 바로 ISBN을 발급받은 작품집이에요. 문학 작가의 경우 신청 기준이 다음과 같습니다.

문학

	활동 등 작가의 활동을 종합적으로 확인
자료	※ 자료 제출 시 유의사항 작품정보(작품명 · 세부장르 · 작품수록면 · 작품분량 · 성격 등), 발행정보(발행처 · 발행일 · 국제표준자료번호(ISBN/ISSN) 등), 참여정보(신청자명 · 신청자 역할) 등이 확인되는 자료가 필요합니다. ①표지+목차+발행정보면(발행처 · 발행일 · 국제표준자료번호(ISBN/ISSN) 등), ②작품 수록면(시는 3편 이상, 소설 · 수필 등 작품이 여러 면인 경우 일부 발췌) 등 2개 자료 제출 - 웹소설 제출 시, 분량과 성격을 확인할 수 있는 완결된 작품 제출 필요하며, 작품표지+연재기간+국제표준자료번호(ISBN/ISSN)+신청자명 등이 확인 가능한 연재 플랫폼 화면 이미지 자료(URL 포함) 제출 * 개인이 자유롭게 글을 올릴 수 있는 온라인 매체 발표 실적은 인정되지 않음 - 데뷔작 1편만 제출하기보다는 데뷔 후 활동을 증빙할 수 있는 기준연도 내 다양한 자료 제출 권장 - 문예지 작품 발표의 경우, 다양한 발행처(또는 주최 · 주관)에서 발행한 문예지 발표 실적 제출 필요
공통사항	※ 예명 활동의 경우, 실명과 예명이 병기된 날인된 계약서(확인서) 또는 인터넷 포털 인물정보 등 첨부 ※ 기획 및 기술지원으로 참여한 경우, 창조력과 숙련도를 전제로 저작물 또는 저작물 공표에 상당한 예술적 기여를 하고

ISBN, 확인하셨지요? 그래서 정식 출간이 중요합니다.

③ 네이버 인물정보 등록

정식 출간을 하여 도서 정보가 네이버에서 검색이 된다면, 네이버 인물정보에 작가님의 프로필을 등록할 수 있습니다. 본격 자기 PR의 시대 21세기인데요. 내가 무슨 책을 썼고 어떤 활동을 했는지 말로 구구절절 설명하는 것보다, 포털사이트에 프로필을 등록 한 번 하는 것이 훨씬 효과적이고 효율적인 일입니다. 저는 본명과 작가명이 달라서 인증을 위해 네이버에 인물정보 등록을 한 케이스입니다.

한요진
이은미, 韓耀縉, Han Yojin · 작가

전체 프로필 최근활동 작품활동

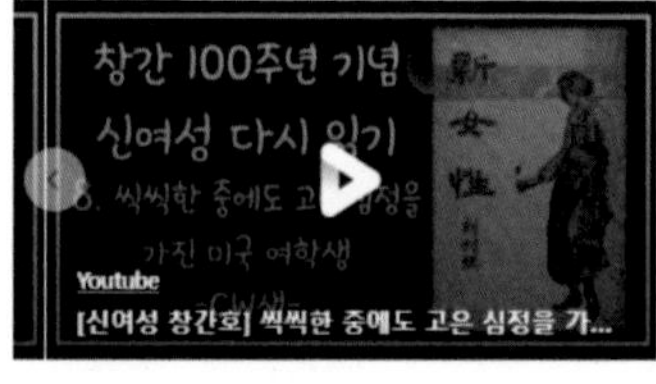

프로필

학력 국민대학교 대학원 문화학 박사
수상 2021년 제5회 경기국제코스프레대회 Cosplay@Home 국내 부문 6위
2020년 WCG 코스프레 콘테스트 노력상
2016년 플라워링 하트 코스프레 콘테스트 장려상
사이트 블로그, 인스타그램, 유튜브
작품 도서, 기타

본인 또는 대리인이 직접 관리하는 정보입니다
본인참여 2023.08.21.
인물정보 본인참여

예비 작가님께서 하시는 일에 따라 네이버 프로필 등록이 사업이나 강연 등에 도움이 되실 수 있을 것으로 생각합니다. 이 프로필 등록 역시 ISBN을 발급받은 정식출간물을 출간했을 경우 가능합니다. 네이버 프로필 등록 기준을 살펴보면 다음과 같습니다.

인물정보 등재기준

인물정보 등록신청 전, 꼭 확인해 주세요!

문화예술인	문학인	아동문학가	출판사/인쇄사 검색시스템 (http://book.mcst.go.kr/html/main.php) 혹은 서지정보유통지원시스템(ISBN 검색, http://seoji.nl.go.kr/index.do)에서 확인되는 출판사를 통해 해당 직업과 관련한 작품을 출간/연재/집필/번역한 경력이 확인되는 경우 (단, 수업자료 등 비애용 저작물은 경력에서 제외)
문화예술인	문학인	작가	출판사/인쇄사 검색시스템 (http://book.mcst.go.kr/html/main.php) 혹은 서지정보유통지원시스템(ISBN 검색, http://seoji.nl.go.kr/index.do)에서 확인되는 출판사를 통해 해당 직업과 관련한 작품을 출간/연재/집필/번역한 경력이 확인되는 경우 (단, 수업자료 등 비애용 저작물은 경력에서 제외)

ISBN이 보이시지요?

제가 정식 출간을 강조하는 이유가 바로 이것입니다. 저의 노하우를 설명 들으시면, 예비 작가님도 정식 출간한 작가님으로 되실 수 있습니다.

이 책은 책의 물성과 관련한 이론보다는 책 제작에 필요한 실제에 초점을 두었습니다. 독립출판에 필요한 매뉴얼이라고 생각하시면 됩니다. 자세한 이론은 추후 독립출판 강연에서 만나보실 수 있습니다.

자 그럼, 본격적으로 원고 편집에 대해 이야기 해볼까요?

Part 2. 독립출판 튜토리얼

1. 원고 준비하기(맞춤법 검사)

출판을 앞둔 원고가 있으시지요? 출간형 원고로 편집 전, 해야 할 일이 한 가지 있습니다. 바로 '맞춤법 검사'를 하는 거예요. 상상해 보세요. 책을 읽는 독자가 맞춤법이 틀린 문장을 읽게 되었다? 내용이 아무리 좋아도 맞춤법이 틀리면 책에 대한 신뢰가 조금은 하락하기 마련입니다. 작은 것 하나부터 섬세하게 신경 써야 좋은 책을 만들 수 있습니다.

맞춤법 검사 방법은 간단합니다. 온라인 맞춤법 검사기를 사용하시면 됩니다. 가장 유명한 맞춤법 검사기는 부산대학교의 맞춤법 검사기입니다. 사이트 주소와 바로 접속 가능한 QR코드를 아래 넣어둘 테니 접속해서 사용해 보세요.

http://speller.cs.pusan.ac.kr/

사용법은 간단합니다.

사이트 접속 → 검사할 원고를 붙여넣기 → 검사하기

적은 분량의 경우는 '네이버 맞춤법 검사기'를 이용하면 손쉽게 검사를 하실 수 있습니다. 네이버 검색창에 '맞춤법 검사기'를 이용하면 바로 화면이 보일 거예요. 사용법은 동일하게 원고를 붙여 넣고 '검사하기' 버튼을 누르시면 됩니다. 대신 네이버 맞춤법 검사기는 한 번에 300자까지만 검사할 수 있어요. 짧은 문장 검사에 적합합니다.

네이버 맞춤법 검사기 Beta
교정결과 오류 제보
원문
맞춤법 검사를 원하는 단어나 문장을 입력해 주세요.
0/300자
검사하기
네이버에서 제공하는 우리말 맞춤법 검사기입니다. 이모지 등 특수문자는 제거될 수 있습니다.

원고 형식과 분량에 따라 적합하다고 생각되는 맞춤법 검사기를 이용해서 원고를 교정/교열해 주세요.

자! 원고 준비는 끝나셨나요? 그러면 본격적으로 출판형 원고를 편집하러 가보도록 하지요!

2. 한컴오피스로 원고 편집하기

본격적으로 원고 편집 방법을 소개하겠습니다.

부크크에서는 기본 원고 서식을 제공하고 있어요. 한컴오피스와 word 파일인데요, 저는 한컴오피스로 원고 편집하는 방법을 소개할 예정입니다. 그러니까 우선 부크크 사이트에 가입하고, 원고 서식을 다운받아주세요.

① 부크크 사이트 가입

https://bookk.co.kr/

로그인 → 계정 만들기 → 가입 후 로그인

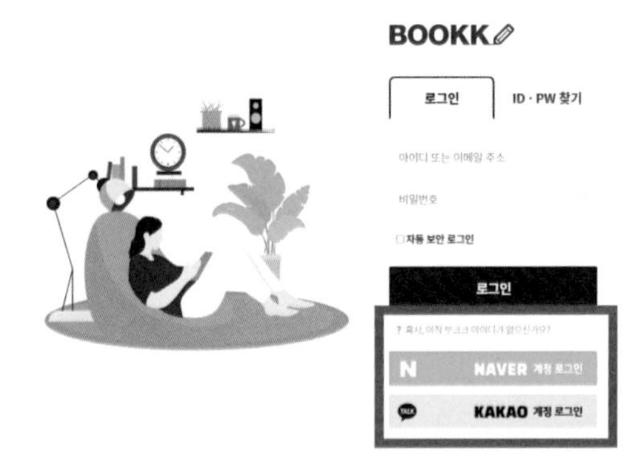

② 원고 서식 다운받기

로그인 → 책 만들기 →새 종이책 → 원고 서식 받기

원고 서식 받기를 선택하면 압축파일 하나가 다운로드 됩니다. 파일을 열면 여러 문서 파일이 들어있는 것을 확인하

실 수 있습니다.

이름	압축 크기	원본 크기	파일
[워드서식]A4(국배판)_부크크서식(기본).docx	32,829	36,880	Mic
[워드서식]A5(국판)_부크크서식(기본).docx	32,653	36,707	Mic
[워드서식]B5(46배판)_부크크서식(기본).docx	31,982	36,149	Mic
[워드서식]B6(46판)_부크크서식(기본).docx	34,281	38,315	Mic
[필독!!]부크크서식 이용안내.hwp	9,535	15,872	한
[필독!!]부크크서식 이용안내.rtf	14,980	166,473	서
[한글서식]A4(국배판)_부크크서식(기본).hwp	14,503	22,528	한
[한글서식]A5(국판)_부크크서식(기본).hwp	14,853	23,040	한
[한글서식]A5(국판)_부크크서식(리본).hwp	36,994	46,080	한
[한글서식]A5(국판)_부크크서식(선).hwp	35,650	43,520	한
[한글서식]B5(46배판)_부크크서식(기본).hwp	14,654	22,528	한
[한글서식]B6(46판)_부크크서식(기본).hwp	15,134	23,040	한
BOOKK_FONTS_ALL.20221205.zip	6,246,779	6,274,609	압

우리는 '한컴오피스'를 이용해 원고를 편집할 것이기 때문에 '한글서식'중에서 사용할 서식을 골라주세요. 책 크기는 A4, A5, B5, B6가 있습니다. 원하는 **판형을 선택**하고, 해당 **판형의 '기본' 서식을 복사**해서 그 서식에 예비 작가님의 원고를 **붙여넣기** 하면서 편집하기 시작해 주세요.

판형 크기는 다음을 참고하시면 됩니다.

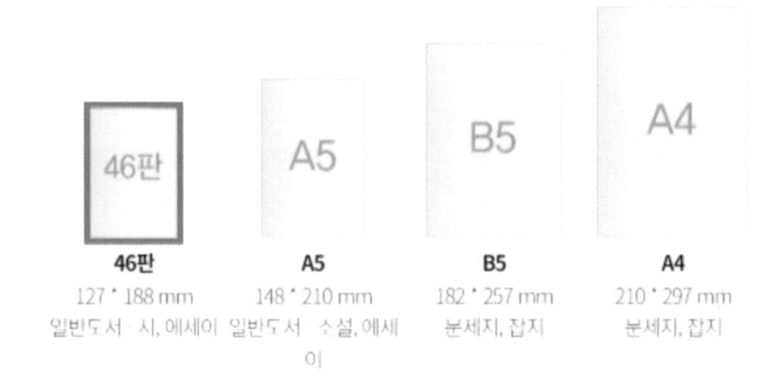

③ 설명페이지 삭제

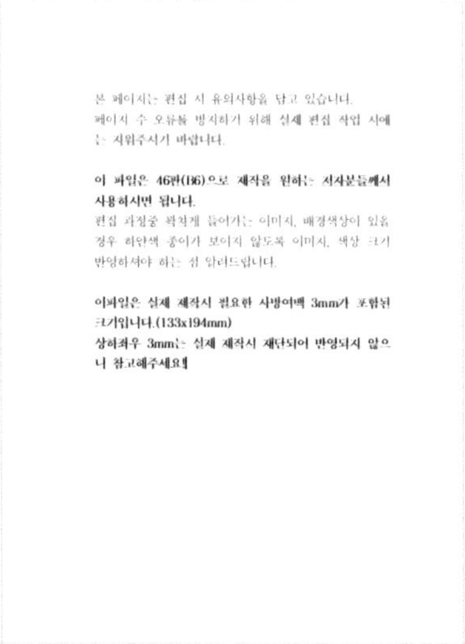

본 페이지는 편집 시 유의사항을 담고 있습니다.
페이지 수 오류를 방지하기 위해 실제 편집 작업 시에는 지워주시기 바랍니다.

이 파일은 46판(B6)으로 제작을 원하는 저자분들께서 사용하시면 됩니다.
편집 과정중 꽉차게 들어가는 이미지, 배경색상이 있을 경우 하얀색 종이가 보이지 않도록 이미지, 색상 크기 반영하셔야 하는 점 알려드립니다.

이파일은 실제 제작시 필요한 사방여백 3mm가 포함된 크기입니다.(133x194mm)
상하좌우 3mm는 실제 제작시 재단되어 반영되지 않으니 참고해주세요!

부크크 기본서식을 열면, 맨 첫 장은 부크크에서 안내하는 설명페이지가 보입니다. 설명을 잘 읽어보시고, 실제로 책을 만드실 때는 이 **설명 페이지는 삭제**해 주세요.

④ 헛장

어린 왕자(제목을 적어주세요)

헛장은 원고 서식의 첫 장입니다. 과거 제본에 물리적으로 필요했던 장이라고 합니다만, 현재는 형식상 남아있는 장으로, 최근 출판 책의 경우는 이 헛장을 생략하는 경우도 많습니다. 부크크 서식에는 헛장이 남아있으니, 헛장을 만들어주세요.

헛장에는 **도서명**만 적어주시면 됩니다. 디자인적 요소는 추가하지 않는 경우가 많습니다.

⑤ 판권지

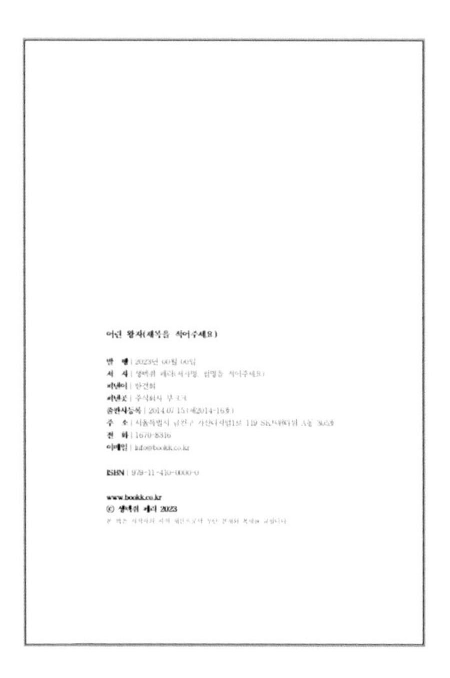

어린 왕자(제목을 적어주세요)

발 행 | 2023년 00월 00일
저 자 | 생텍쥐 페리(저자명, 필명을 적어주세요)
펴낸이 | 한건희
펴낸곳 | 주식회사 부크크
출판사등록 | 2014.07.15(제2014-16호)
주 소 | 서울특별시 금천구 가산디지털1로 119 SK트윈타워 A동 305호
전 화 | 1670-8316
이메일 | info@bookk.co.kr

ISBN | 979-11-410-0000-0

www.bookk.co.kr
ⓒ 생텍쥐 페리 2023
본 책은 저작자의 지적 재산으로서 무단 전재와 복제를 금합니다.

판권지는 도서의 정보가 자세히 입력되는 페이지입니다. 보통 도서는 판권지가 맨 뒷장에 위치하는데, 부크크 서식은 헛장 뒤에 판권지가 있습니다. 기본 판권지에서 수정해야 할 부분은 **도서명, 발행일, 저자, ISBN, 저작권 표시(ⓒ)**입니다.

- 도서명: 책의 서명을 적고, 부제목이 있다면 ()괄호 안에 넣어 입력해 주세요.

- 발행일: 부크크에 업로드할 예정일에서 + 2~3일 되는 날을 기재합니다. 혹은 제출일까지 비워두셨다가 ISBN을 발급받으면, 그때 부크크에서 안내하는 발행일을 입력하시면 됩니다.
- 저자: 본명, 혹은 필명을 적습니다.
- ISBN: 일단 비워두고 부크크에 제출합니다. 제출하면 2~3일 이내로 부크크에서 ISBN과 발행일을 안내하는 이메일을 보냅니다. 메일을 받으시고 원고의 ISBN과 발행일을 수정해서 부크크로 회신하면 출간이 완료됩니다.
- 저작권 표시(Copyright): 저작권 표시 기호 뒤에 (©) 저자명과 발행 연도를 기재합니다.

어린 왕자(제목을 적어주세요)

발 행 | 2023년 00월 00일
저 자 | 생텍쥐 페리(저자명, 필명을 적어주세요)
펴낸이 | 한건희
펴낸곳 | 주식회사 부크크
출판사등록 | 2014.07.15.(제2014-16호)
주 소 | 서울특별시 금천구 가산디지털1로 119 SK트윈타워 A동 305호
전 화 | 1670-8316
이메일 | info@bookk.co.kr

ISBN | 979-11-410-0000-0

www.bookk.co.kr
© 생텍쥐 페리 2023
본 책은 저작자의 지적 재산으로서 무단 전재와 복제를 금합니다.

⑥ 속표지(표제지)

속표지는 표제지라고도 부르는데, 도서의 으뜸 정보원입니다. 으뜸 정보원이란 독자에게 책에 대한 정보를 알리도록 시스템에 입력할 때 가장 기준을 삼는 정보원이라는 뜻입니다. 도서명, 저자명, 출판사 등에 대한 정보가 담겨있습니다. 그래서 원고 맨 첫 쪽은 바로 속표지입니다. 기재해 주셔야 할 사항은 **도서명, 저자명, 출판사명이 필수**입니다. 부제목이 있다면 그 부분도 표기해 주시면 됩니다.

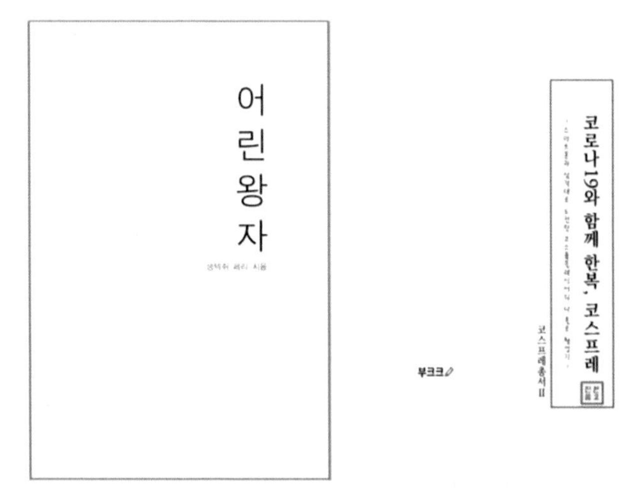

그림의 좌측은 부크크에서 제공하는 서식이고 우측은 제가 집필했던 책의 속표지입니다. 속표지는 책 표지의 디자인과 비슷하게 가는 것이 통일성이 있어 좋습니다. 그래서 저는 속표지의 경우는 표지를 완성한 이후에 디자인을 첨가했습니다.

출판사명은 부크크 로고를 사용하시면 됩니다. 부크크 로고는 **부크크 → 책 만들기 → 자주 찾는 질문 → 1. 로고 파일**(AI)에서 파일을 다운로드받으시면 됩니다.

부크크 로고파일은 한글과 영문으로 각각 검정, 빨강, 흰색 로고가 있습니다. 총 6개 중 가장 원고 표지에 적절한 디자인을 골라 사용하시면 됩니다. 원고는 한컴오피스의 '그림 삽입' 기능을 이용하시면 됩니다. 해당 기능은 다음 장에서 설명해 드리겠습니다.

⑦ 목차

CONTENT

목차는 한컴오피스 '목차 만들기' 기능을 사용합니다. **원고 본문 편집이 모두 끝난 후** 페이지 위치가 모두 확정되면, 그때 **목차를 작정**해 주세요.

(1) 본문 제목 옆에 커서 두기

제2화| 어린왕자와의 첫만남

(2) 도구 → 차례/색인 → 제목 차례 표시 (단축키: Ctrl+K,T)

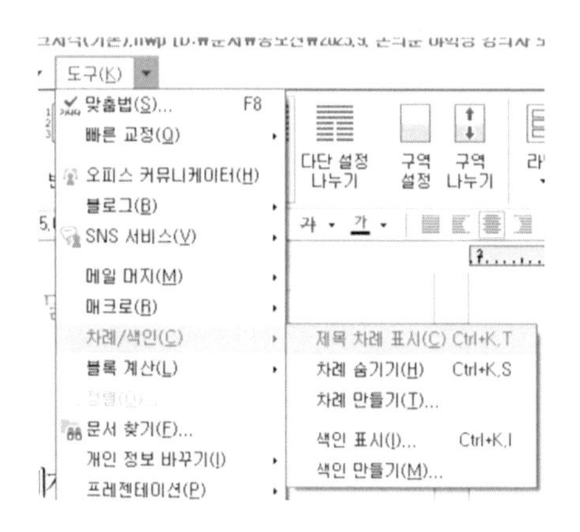

설정하면 '조판 부호' 기능이 켜져 있지 않으면 본문에 아무 변화가 없을 것입니다. 원고를 출력했을 때 눈에 보이지 않는 기능이 표시된 것인데요. 이 표시를 확인하려면 '조판 부호' 기능을 활성화하면 됩니다.

서식 → 표시/숨기기 → 조판 부호

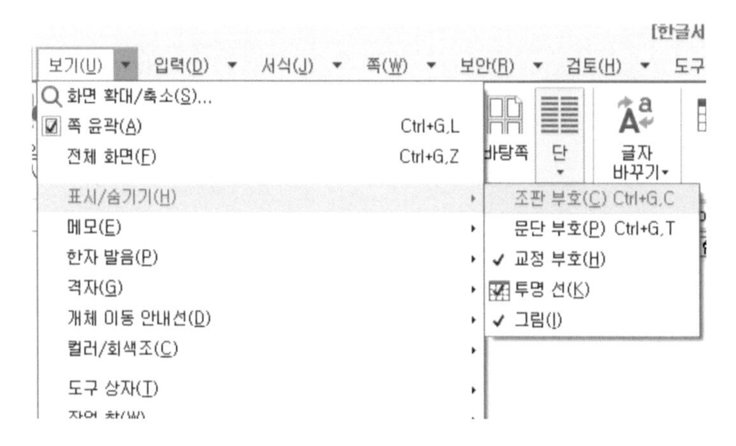

조판 부호를 활성화하면 다음과 같은 표시를 확인할 수 있습니다.

[제목 차례]제2화 어린왕자와의 첫만남

조판 부호는 원고 편집 상황에 따라 켜고 끄고 하면서 편집하시면 됩니다. 본문에서 목차로 표시할 부분은 모두 이렇게 '제목 차례'를 표시해 주세요.

(3) 원고 **목차** 페이지로 이동

(4) 도구 → 차례/색인 → 차례 만들기

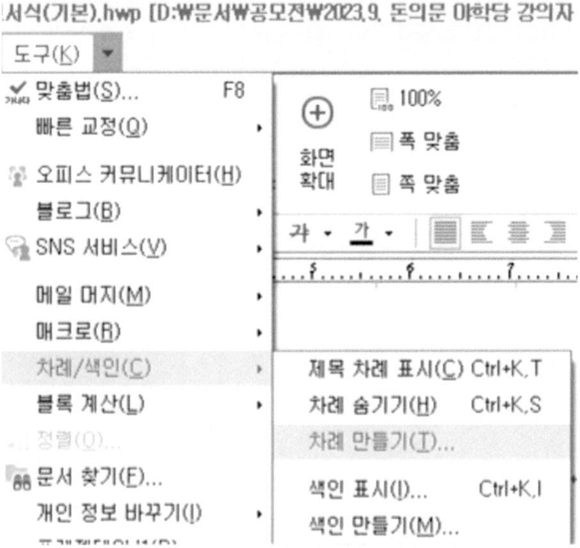

(5) 제목 차례, 차례 코드로 모으기, 현재 문서의 커서 위치 선택, 탭 모양 선택 후 만들기

차례 만들기 ? ×

만들 차례

☑ 제목 차례(S)

☐ 개요 문단으로 모으기(O)

개요 수준(L): 3 수준 까지

☐ 스타일로 모으기(Y)

☐ 바탕글
☐ 본문
☐ 개요 1
☐ 개요 2
☐ 개요 3
☐ 개요 4

☑ 차례 코드로 모으기(C)

☐ 표 차례(T)

☐ 그림 차례(G)

☐ 수식 차례(M)

만들 위치(P): 현재 문서의 커서 위치

탭 모양

◉ 문단 오른쪽 끝 자동 탭(I)

○ 오른쪽 탭(R)

채울 모양(F): 선 없음

만들기(D)

취소

<제목 차례>

제1화 내가 그린 보아 구렁이 6

제2화 어린왕자와의 첫만남 8

문단 오른쪽 끝 자동 탭

<제목 차례>

제1화 내가 그린 보아 구렁이 6

제2화 어린왕자와의 첫만남 8

오른쪽 탭 → 선 · · · · · · · · · 선택

(6) <제목 차례> 삭제, 목차의 글꼴, 글씨 크기 등 수정.

수정 후 목차의 글씨체를 '스타일'로 잡아두시면 추후 쪽수를 변경 후에 다시 목차를 생성할 때 글씨체를 변경하기 편리합니다.

⑧ 스타일 설정 (제목, 본문 글씨 및 문단 설정하기)

원고 편집에 필요한 첫 번째, 바로 글씨체와 폰트입니다. 보통 원고의 장 제목과 본문은 글씨체 혹은 글씨체와 폰트를 다르게 표시합니다. 최소 2가지 이상의 글씨체를 쓰게 되는데요. 원고가 많을수록 일일이 글씨체를 지정하기 어렵습니다. 그러므로 우리는 한컴오피스의 '스타일' 기능을 이용해 글씨체를 간편하게 바꿔줄 것입니다. 방법은 다음과 같습니다.

- 원고 블록 선택 → 원하는 글씨체와 글씨 크기로 변경 → 블록 선택된 채로 마우스 우클릭 → '스타일' 선택

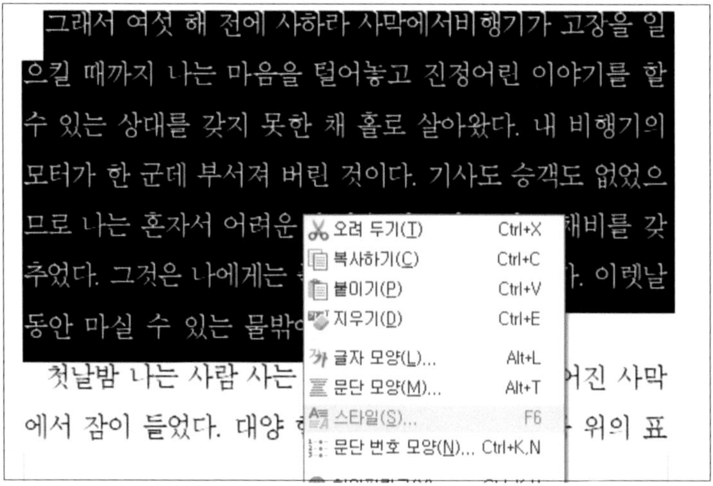

● 스타일 추가하기 + 선택

● 스타일 이름 설정 → 추가 버튼 → 새로 추가한 스타일을 목록에서 선택 → 설정 버튼 클릭

스타일 추가하기

스타일 이름(N): 새 스타일

영문 이름(E):

추가(D)

취소

스타일 종류

◉ 문단(P) ○ 글자(C)

다음 문단에 적용할 스타일(S): 새 스타일

문단 모양(T)... 글자 모양(L)... 문단 번호/글머리표(B)...

스타일 이름은 다르지만 영문 이름이 같은 경우에는 두 스타일을 같은 스타일로 인식합니다.

● 이렇게 스타일을 추가한 후에 본문에서 글씨체를 바꿀 원고를 블록으로 선택한 후, 상단 스타일 선택 메뉴에서

스타일을 선택하여 주시면 됩니다. 블록 선택을 하지 않을 경우, 커서가 위치하는 문단만 스타일의 글씨체로 바뀝니다.

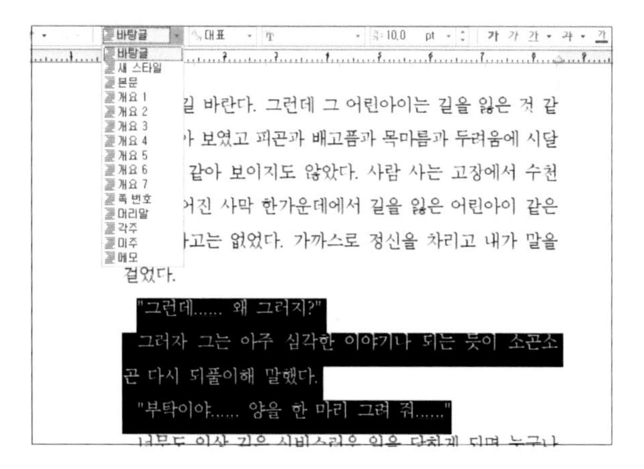

스타일 적용 전

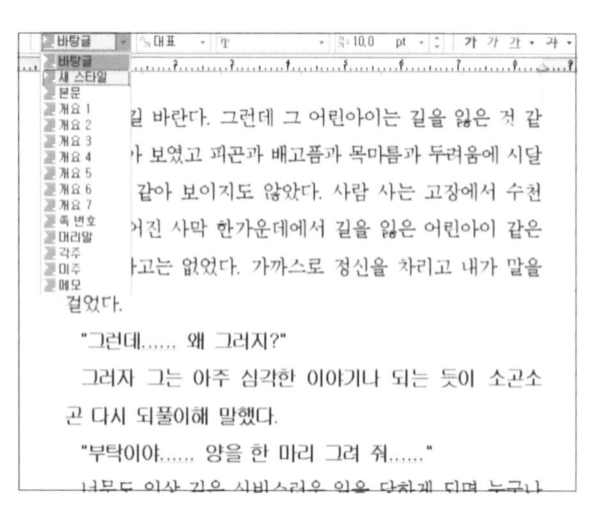

스타일 적용 후

- 장 제목, 본문, 그림 캡션 등 원고 내 모든 글꼴을 '스타일'로 잡아주시면 편집 시간이 크게 단축됩니다. 또한 본문 글씨를 변경하고 싶을 때 스타일에서 글꼴을 바꾸면, 스타일로 지정해 둔 원고는 모두 바꾼 스타일의 글씨체로 일괄 적용됩니다.

- 주의 사항 1: 종이책의 경우 <KopubWorld, KopubPro> 체는 사용을 금합니다. 부크크의 인쇄기와 호환이 맞지 않아 인쇄가 불가하다고 합니다.

- 주의 사항 2: 글꼴은 무료 폰트 혹은 상업적 이용이 가능한 폰트를 사용하셔야 합니다. 부크크에서 제공하는 부크크 글꼴을 이용하심을 추천해 드립니다. 부크크 글씨체는 원고 서식 압축파일에 포함되어 있습니다.

⑨ 페이지 표시

페이지 표시는 방법이 2가지가 있습니다. 부크크 서식에 쓰여 있는 '머리말/꼬리말' 표시하기와 '쪽 번호 매기기' 기능인데요. '쪽 번호 매기기' 기능이 비교적 간단한 기능입니다. 처음 책을 편집하는 예비 작가님께서는 '쪽 번호 매기기' 기능을 사용하시는 것이 좋을 것 같아요. 해당 기능 사용 방법은 다음과 같습니다.

(1) '조판 부호' 켜기: 보기 → 표시/숨기기 → 조판 부호 선택

(2) 원고 서식에 있는 '꼬리말(짝수 쪽), 꼬리말(홀수 쪽), 감추기' 조판 부호 모두 삭제

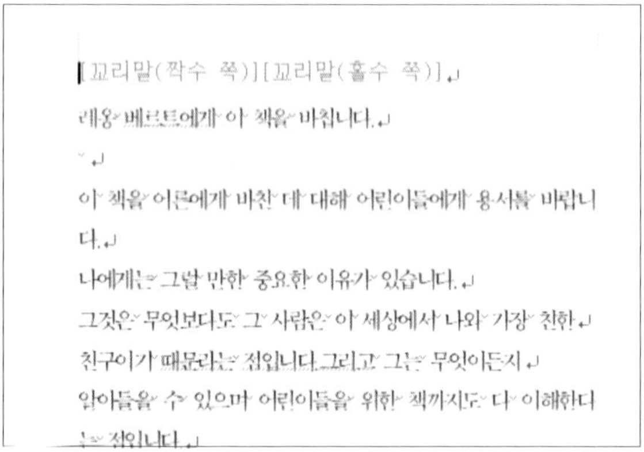

[꼬리말(짝수 쪽)][꼬리말(홀수 쪽)]

레옹 베르트에게 이 책을 바칩니다.

이 책을 어른에게 바친 데 대해 어린이들에게 용서를 바랍니다.

나에게는 그럴 만한 중요한 이유가 있습니다.

그것은 무엇보다도 그 사람은 이 세상에서 나와 가장 친한

친구이기 때문이라는 점입니다.그리고 그는 무엇이든지

알아들을 수 있으며 어린이들을 위한 책까지도 다 이해한다

는 점입니다.

(3) 쪽 → 쪽 번호 매기기 선택

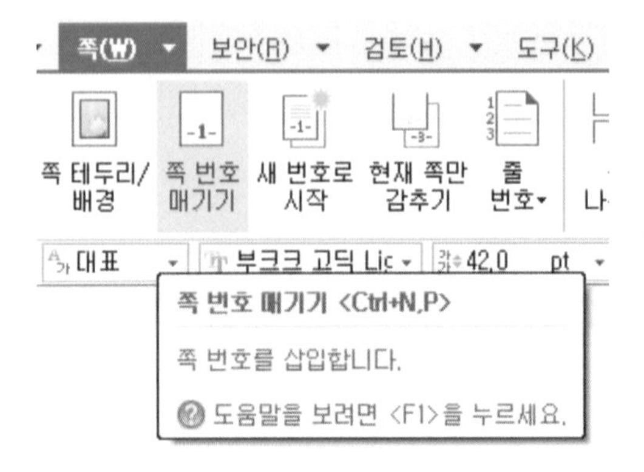

● 원하는 쪽 번호 위치를 선택하고 '넣기' 버튼 선택: 모든 페이지에 쪽 번호가 생성

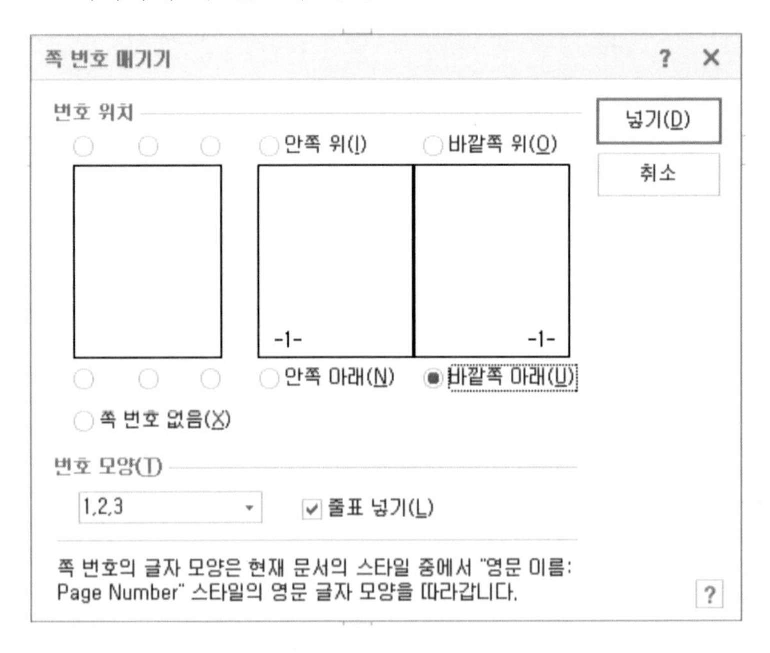

● 여기까지 하면, 모든 쪽에 쪽 번호가 표시됩니다. 그런데 헛장, 판권지, 속표지 등은 쪽 번호가 없는 것이 더 깔끔합니다. 그래서 작가님이 판단하기에 쪽 번호가 필요 없는 페이지는 쪽 번호 감추기를 해주세요.

● 쪽 번호 감추기: **쪽 → 현재 쪽만 감추기 → 쪽 번호 선택 → 설정 선택**

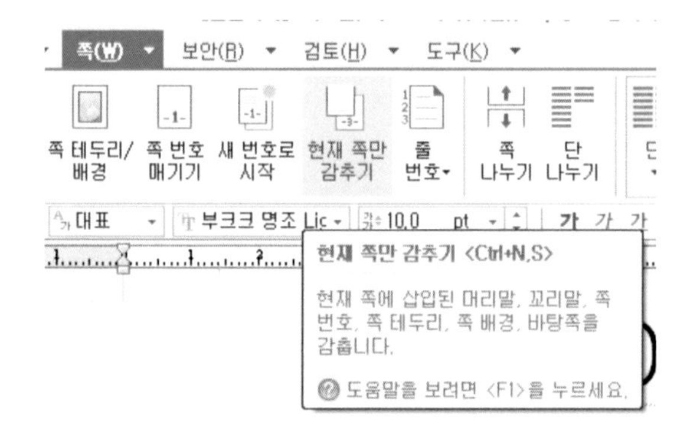

감추기
감출 내용
머리말(H) 꼬리말(F)
쪽 번호(N) 쪽 테두리(B)
쪽 배경(G) 바탕쪽(M)
모두 선택(C)
설정(D)
취소
머리말이나 꼬리말, 바탕쪽에 삽입한 쪽 번호를 감추고 싶을 때에는 머리말이나 꼬리말, 바탕쪽을 감추어야 합니다.

● 이 기능을 쓰면 다음과 같이 원고가 변합니다.

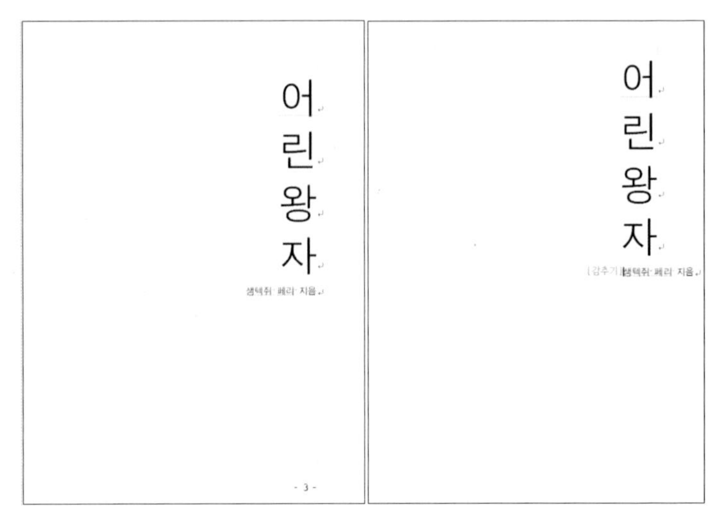

쪽 번호 감추기 전　　　　쪽 번호 감추기 후

● 위와 같은 방법으로 쪽 번호가 필요 없는 페이지는 쪽 번호를 **'감추기'** 해주시면 됩니다. 감추기가 끝난 후, 조판 부호가 원고 편집에 방해가 되면 **'보기'** 메뉴에서 **조판 부호를 해제**해 주세요.

⑩ 원고 내어쓰기

본문을 쓰다 보면 설명 등을 쓰는 경우가 종종 있습니다. 이때 첫 줄의 특정 기준점 이하로 본문을 정렬하고 싶은 경우가 종종 생기는데요. 그럴 때는 '내어쓰기' 기능을 이용하시면 됩니다.

(1) 본문 내어쓰기: 내어쓰기 할 문단의 첫째 줄에서 기준이 되는 부분에 커서 놓기 → Ctrl + Tap 누르기
(2) 표 안에서 내어쓰기: 첫 줄 기준점에 커서 놓기 → Ctrl + Shift + Tap 누르기

이렇게 하면 아래와 같이 본문이 내어쓰기 됩니다. 위는 본문 내어쓰기의 예시, 아래는 표 안에서 내어쓰기의 예시입니다.

기홀병원(紀笏病院): 1897년 평양에 설립된 병원. 설립자는 폴웰(E.D. Follwell)이다. 1919년 제중병원과 기홀병원이 합병되어 기홀연합병원이 되었고 1923년 광혜여원과 기홀연합병원이 연합하여 평양연합기독병원(Pyengyang Union Christian Hospital)으로 운영되었다. (한국민족문화대백과사전 광혜여원(廣惠女院) 참고)

기홀병원(紀笏病院): 1897년 평양에 설립된 병원. 설립자는 폴웰(E.D. Follwell)이다. 1919년 제중병원과 기홀병원이 합병되어 기홀연합병원이 되었고 1923년 광혜여원과 기홀연합병원이 연합하여 평양연합기독병원(Pyengyang Union Christian Hospital)으로 운영되었다.(한국민족문화대백과사전 광혜여원(廣惠女院) 참고)

⑪ 새 페이지로 시작하기

책의 경우 '장' 혹은 '절' 등으로 파트가 구분되는 경우가 많습니다. 새로운 장이 시작될 때 이전 페이지와 구분해서 새 페이지로 시작하게 구분함이 좋습니다. 그 이유는 앞장의 본문을 수정해서 내용이 길어지더라도, 다음 장이 새 페이지에서 시작되면 편집 값이 그대로 보존되기 때문입니다. **새 페이지에서 시작하는 방법**은 너무나도 간단합니다. **앞장의 본문이 끝나는 곳에 커서를 두고 Ctrl + Enter**만 누르시면 됩니다. 그러면 새로운 페이지로 커서가 넘어가는데요, 거기부터 새 장 원고를 붙여 넣고 편집하시면 됩니다.

여기까지 설명을 참고하시면 본문의 글자는 대부분 편집을 완성하실 수 있을 것입니다. 그런데, 본문에 사진이 들어가는 경우도 있지요? 사진을 편집하고 본문에 삽입하는 방법도 바로 설명해 드리겠습니다.

3. 사진을 원고에 삽입하기

사진을 삽입하기에 앞서, 원고에 적합한 색상을 선택하셔야 합니다. 원고를 전자책(PDF)으로만 제작하실 분은 사진 원본 그대로 사용하셔도 무방합니다. 그런데 **종이책**으로 제작하실 분은 사진을 **인쇄용 색상으로 바꿔**주셔야 합니다. 그냥 쓰시면 모니터에서 보던 사진과 책으로 만들었을 때의 사진 색상 차이가 나기 때문입니다. 이번에는 사진 원본(RGB) 색상을 출력용 색상(CMYK)으로 바꾸는 방법 2가지를 설명해 드리겠습니다.

① 변환 사이트 이용하기

온라인에서 사진 색상을 바꿔주는 서비스가 많이 존재합니다. 이 사이트를 이용해서 사진 원본(RGB)을 인쇄용 색상(CMYK)으로 바꿔주시면 됩니다.

(1) RGB to CMYK 온라인 사이트:

https://www.rgb2cmyk.org/

rgb2cmyk.org

Convert images from RGB to the CMYK color space.

Home About Privacy Contact Donate

Welcome

Your print provider does not accept RGB images? You have to deliver images in the CMYK colorspace but you don't have access to a professional tool to convert an image from RGB to CMYK?
With this free online tool you can convert your images from RGB to CMYK color space using a professional ICC profile.

Upload a file: 파일 선택 선택된 파일 없음

Or enter a URL:

Max. file size for upload is 25 MB.
Supported file types: jpg, png, jpeg, tiff, tif, gif.

Select Output format: JPEG

Images in TIFF format will give the best results for printing.

Select CMYK profile: SWOP2006

If you are not sure which profile you should use, choose the

(2) 사이트 접속 → Upload a file ‘파일 선택’ → Select Output format ‘JPEG’ 선택 → Start 선택

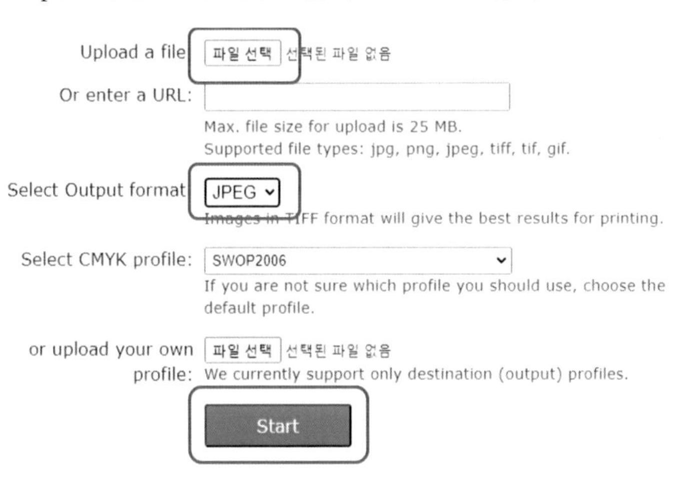

(3) 변환된 사진 파일 다운로드

Result

>> IMG_20231110_112539_cmyk.jpg

Before

② 전용 프로그램 사용(Krita)

가장 유명한 이미지 편집 툴은 '포토샵'입니다. 포토샵 프로그램을 사용 중인 분은 포토샵을 이용하시면 되고, 없으신 분은 무료 이미지 편집 툴인 '크리타'를 이용하시면 됩니다. '크리타'로 색상 변환하기를 설명해 드리겠습니다.

(1) 크리타 사이트 접속, 다운로드, 프로그램 설치 및 실행

https://krita.org/ko/

(2) 파일 열기

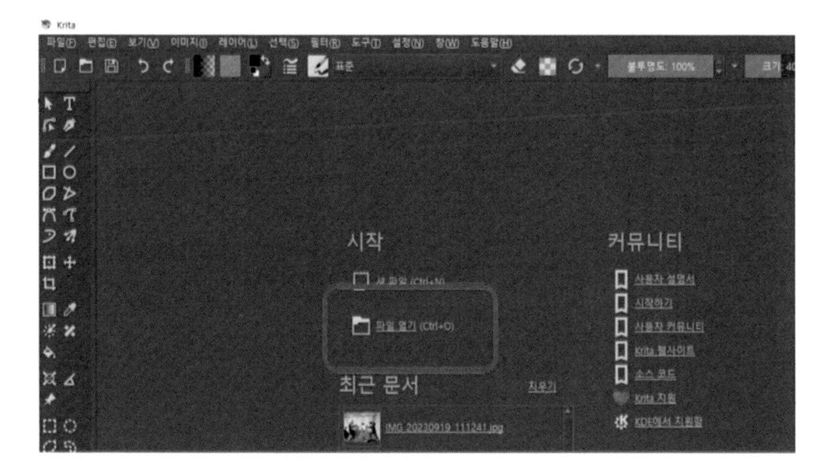

(3) 상단 메뉴에서 이미지, 이미지 색 공간 변환

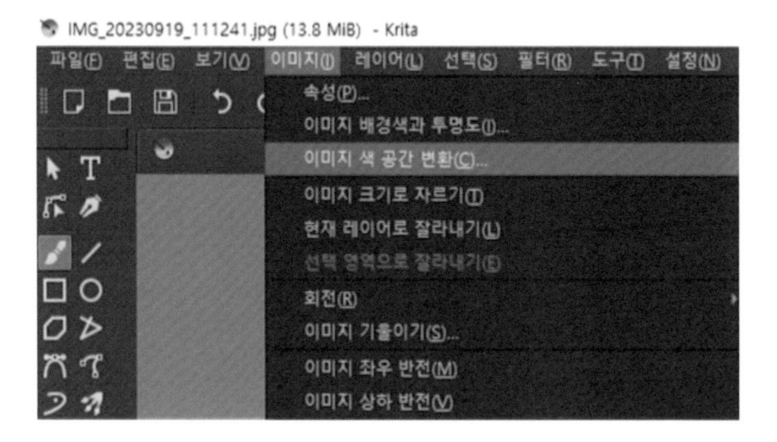

(4) 모델 → RGB를 CMYK로 선택 후 확인

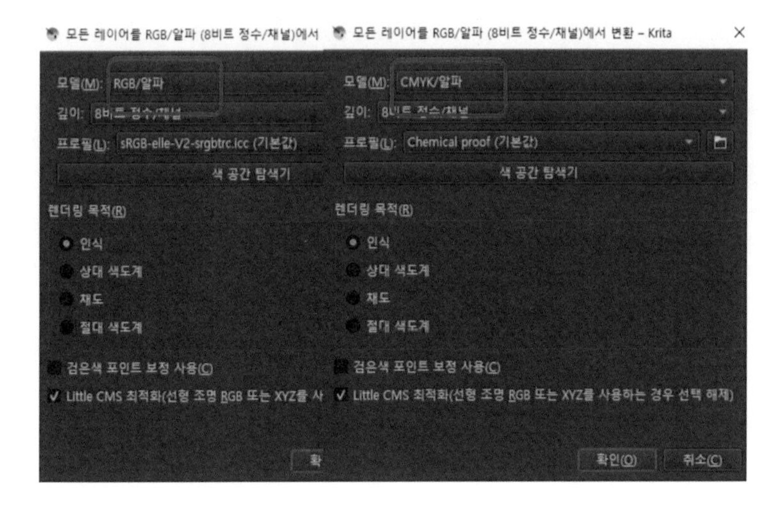

(5) 상단 메뉴에서 파일, 다른 이름으로 저장

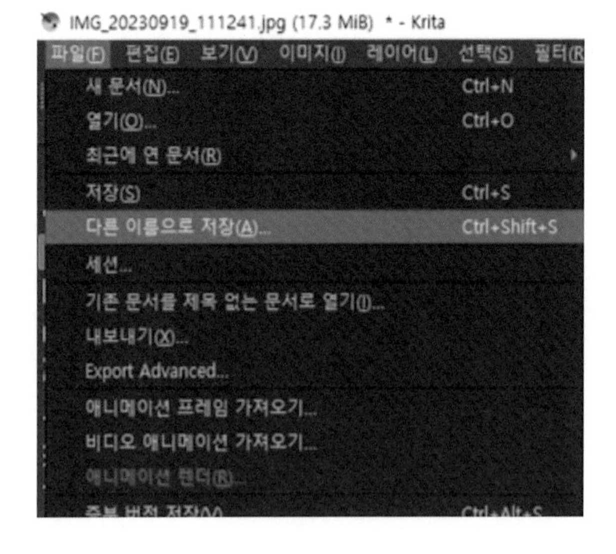

③ 원고에 사진 삽입하기

편집한 사진을 한컴오피스 원고에 삽입해 주세요. 사진 삽입 방법은 다음과 같습니다.

(1) 입력 → 그림

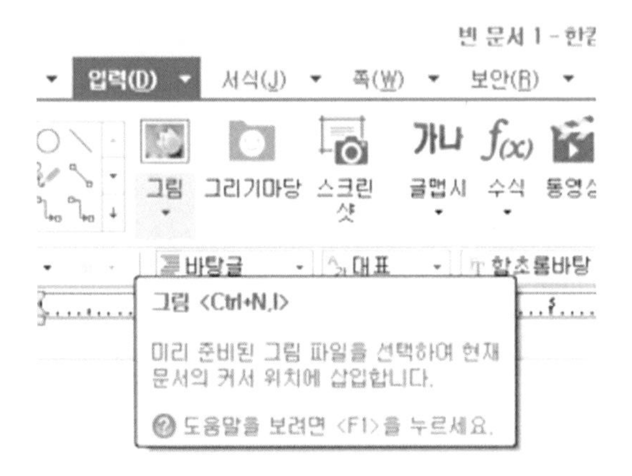

(2) 그림 선택, 하단에 '문서에 포함', '캡션에 파일 이름 넣기' 선택

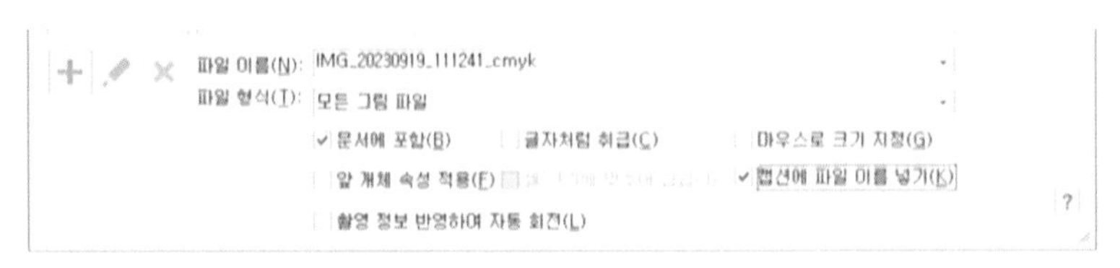

(3) 캡션 수정(스타일 이용하기): 캡션은 일단 한 개만 원하는 글씨체와 크기, 색상으로 바꾸신 후에 최종 선택한

글씨체를 '스타일'을 이용해 저장해주세요. 나머지 캡션은 '스타일'을 이용해 글씨체를 바꿔주면 됩니다.

※ CMYK로 변환한 사진은 모니터로 보기에는 흐릿한 느낌이 있는데요, 실제 한컴오피스로 불러오면 훨씬 뚜렷해지는 것을 관찰하실 수 있습니다. 한컴오피스에 보이는 색상으로 책이 완성되니, 이점 참고 부탁드립니다.

4. 업로드용 원고로 변환하기

파일 제출 시, 사진과 출판사 로고 등을 유실하지 않기 위해 원고를 PDF로 변환하여 업로드하는 것을 추천해 드립니다. 한컴오피스에서 PDF 파일로 저장하기를 하면 간단하게 변환하실 수 있습니다.

① 상단 메뉴의 파일 → PDF로 저장하기

② 사진이 많을 경우, PDF 변환 시 일부 사진이 탈락하는 경우가 생길 수 있으니 용량 조절 등에 유의 바랍니다.

수고하셨습니다!
여기까지 책의 원고 편집이 끝났습니다.
이제는 책 표지를 디자인할 차례입니다.

5. 파워포인트로 표지 제작하기

표지 제작에 앞서, 표지 구조를 살펴볼 필요가 있어 소개합니다.

① 표지 구조

표지 예시

앞표지와 책등은 도서명, 작가명, 출판사명 등의 정보가 수록됩니다. 앞 책날개는 보통 작가소개가 들어가며, 뒤 책날개에는 작가의 다른 작품, 혹은 신작 등이 소개됩니다.

뒤표지에는 작품설명 혹은 추천사가 수록되는 경우도 있고, 삽화만 삽입되는 경우도 있습니다. 책의 ISBN과 바코드, 정가도 표시되는데, 이 정보는 '부크크'측에서 책을 인쇄할 때 삽입합니다.

책날개	뒤 표지	책등 (세네카)	앞 표지	책날개

표지 구조

(1) 표지 크기

- 세로: 판형 세로 길이 + 양쪽 여백 6mm
- 가로: [여백(3mm) + 책날개(100mm) + 판형 가로 길이] x2 + 책등(세네카)

연번	원고 규격	사이즈(단위: mm)
1	B6(46판)	127 x 188
2	A5	148 x 210
3	B5	182 x 257
4	A4	210 x 297

원고 규격 별 사이즈 표

※ 책등(세네카) 너비: 부크크 '책 만들기'의 자동 계산을 이용(책 만들기 - 종이책 만들기 - 원고 크기 선택 - 페이지 수 입력 - 책등 너비 자동 계산)

※ 날개 없는 표지는 책날개 너비를 공식에서 제외하시면

됩니다.

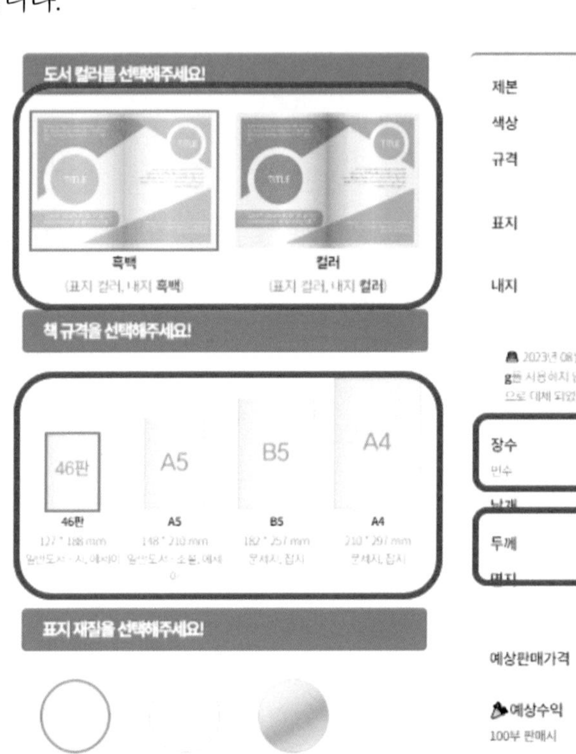

도서 컬러를 선택해주세요!
흑백
(표지 컬러, 내지 흑백)
컬러
(표지 컬러, 내지 컬러)
책 규격을 선택해주세요!
46판
A5
B5
A4
표지 재질을 선택해주세요!
아르떼(감성적인)
스노우(대중적인)
스노우(광택있는)
책 날개를 선택해주세요!
날개 있음
날개 없음
제본
무선 제본
색상
표지
내지
규격
46판
표지
아르떼(감성적인)
내지
미색모조지 100g
이라이트 80g
미색모조지 100g
장수
100
두께
7.8 mm
예상판매가격
8,800
예상수익
132,000
100부 판매시
저자 본인가
5,720
소장용가격
8,800
종이샘플 요청
원고서식 받기

(2) 표지 형식

- 파일 형식: JPG 또는 PDF
- 해상도: 300dpi 기준

(3) 내 원고 사이즈 계산하기

- 너비: [3mm + 100mm + (판형 가로 길이)] x2 + (책등 너비) =__________
- 높이: (판형 세로 길이) + 6mm = __________★

② 파워포인트로 표지 편집하기

(1) **원고 사이즈 설정 1**: 파워포인트 실행 → 새로 만들기 → 새 프레젠테이션 → 홈 → 레이아웃 → 빈 화면

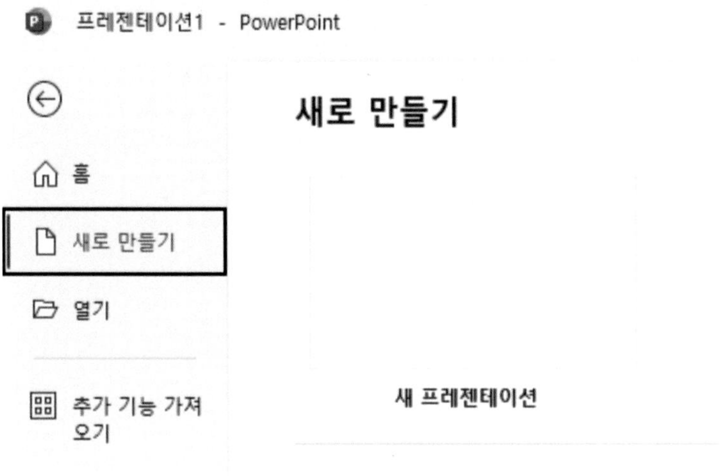

프레젠테이션1 - PowerPoint
새로 만들기
홈
새로 만들기
열기
추가 기능 가져오기
새 프레젠테이션

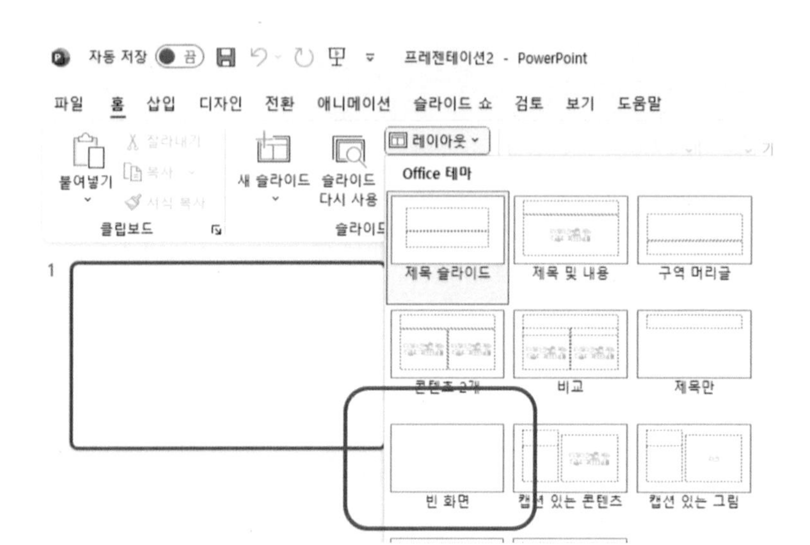

(2) **원고 작업 사이즈 설정 2:** 디자인 → 슬라이드 크기 → 사용자 지정 슬라이드 크기

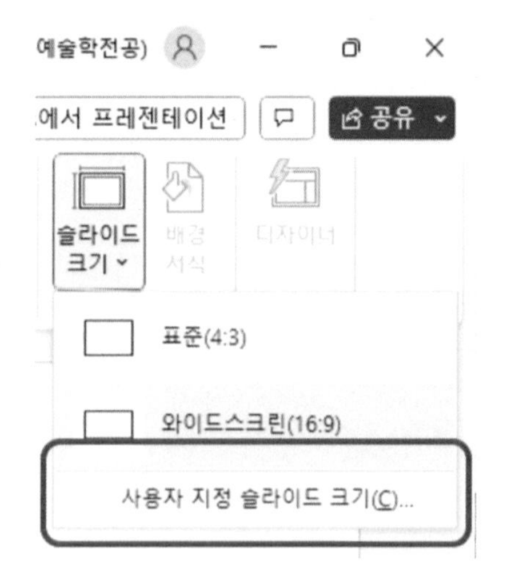

(3) **원고 작업 사이즈 설정 3:** 슬라이드 크기 '사용자 지정' → 너비, 높이에 사전에 구해둔 원고 값 입력 → 확인 → '맞춤 확인' 선택

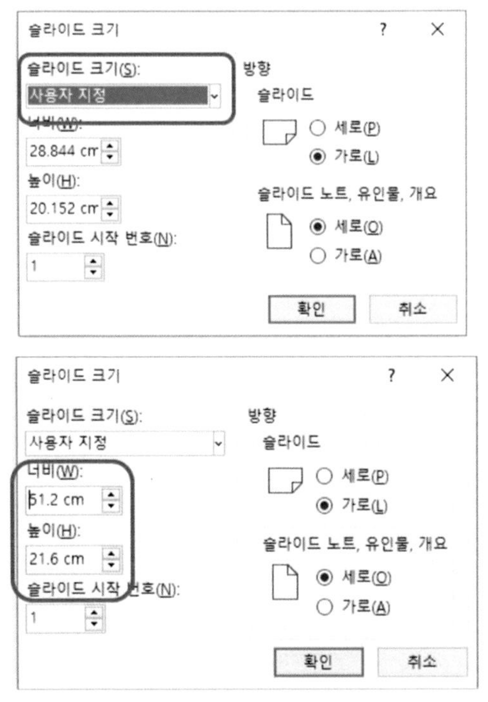

- 너비: [여백 3mm + 책날개 (100mm) + 판형 가로 길이] x2 + 책등(세네카)
- 높이: 판형 세로 길이 + 양쪽 여백(6mm)

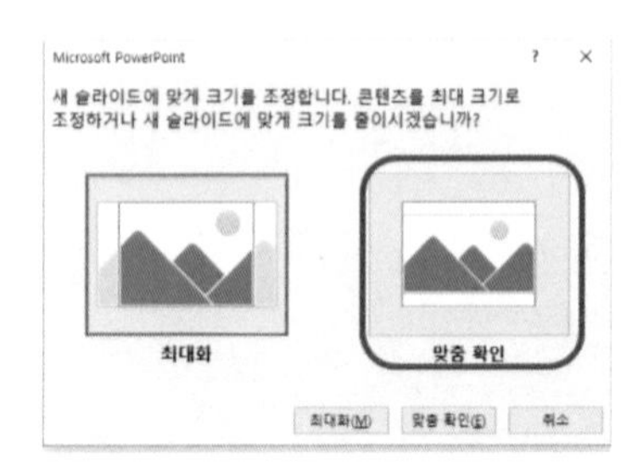

맞춤 확인을 하면, 작업할 캔버스가 완성됩니다.

(4) **표지 디자인**: 표지 각 부분을 표시할 직사각형을 만들어 배치합니다.

(가) 삽입 → 도형 → 직사각형

(나) 만들어진 직사각형 선택 → 마우스 오른쪽 클릭 → 도형 서식 선택

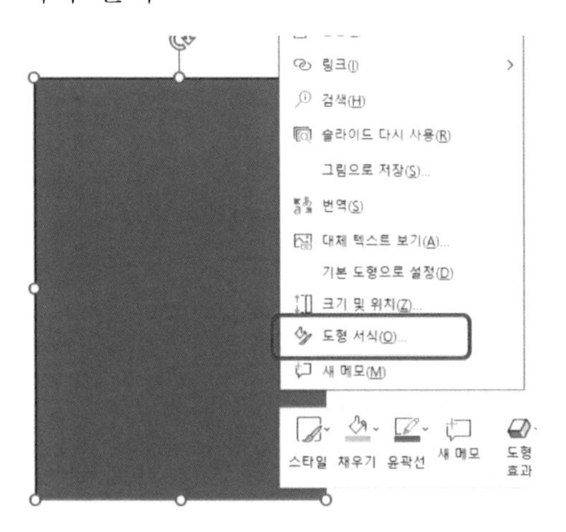

(다) 도형 옵션 → 채우기 설정 선택(흰색 바탕 표지일 경우 '채우기 없음' 선택) → 선 '실선(가이드라인)'

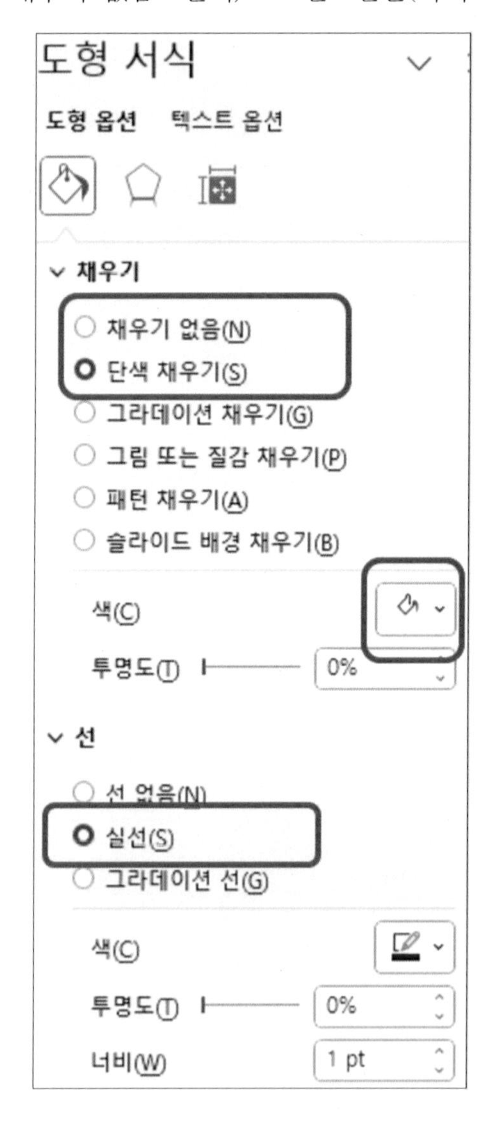

(라) 크기: 높이 = ★ 값 고정, 너비 = 책등(세네카) 너비

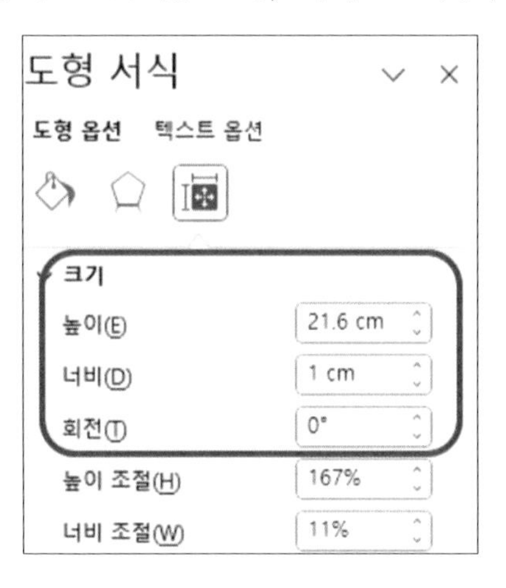

(마) 완성된 상자를 원고 정중앙에 위치

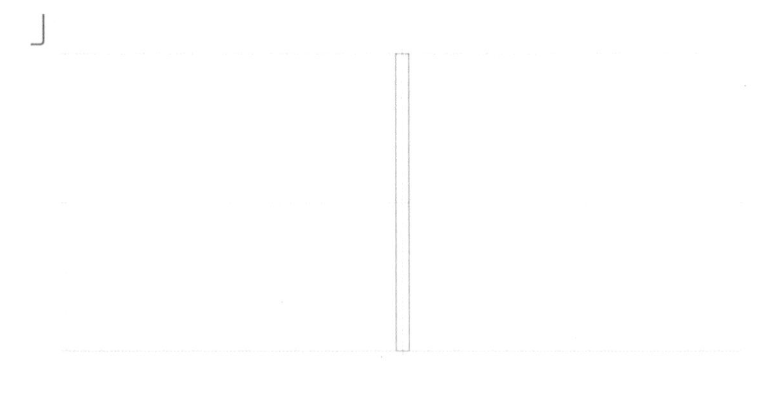

파워포인트의 가이드라인 기능

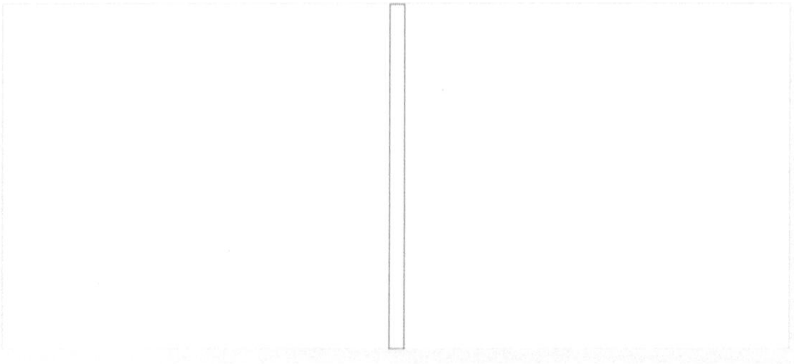

캔버스 정중앙으로 위치한 책등 가이드라인

직사각형 도형을 끌어 캔버스 가운데로 움직이면 가이드라인이 생성됩니다. 가이드라인에 맞춰 캔버스 정 가운데 직사각형을 위치하면, **책등의 위치가 표시**됩니다. 이 위치를 기준으로 좌우에 표지 도형, 책날개 도형을 만들어 위치를 지정합니다.

(바) 표지 가이드라인 만들기: 책등 직사각형 선택 → Ctrl + C (복사) → Ctrl + V (붙여넣기) → 복사된 직사각형의 '도형 크기'중 '너비'만 가로 판형 사이즈로 변경 → 완성된 직사각형을 2개 만들어 책등 가이드라인 좌우에 붙여넣기 → 표지 가이드라인 완성 (책날개가 없는 경우는 표지 너비에 +0.3cm를 하고 (사)는 생략해 주세요.)

책등, 책 표지 가이드라인

(사) 책날개 가이드라인 만들기: 표지 가이드라인 제작과 동일한 방식으로 진행합니다. 단, 도형의 '너비'는 '1 0.3cm'로 지정합니다.

완성된 책 표지 가이드라인

(아) 표지에 그림 넣기: 표지를 장식할 그림을 삽입합니다. 삽입 → 그림 → 이 디바이스 → 그림 선택

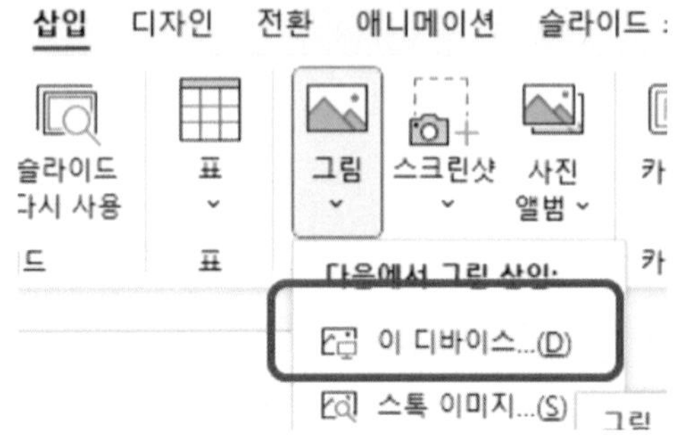

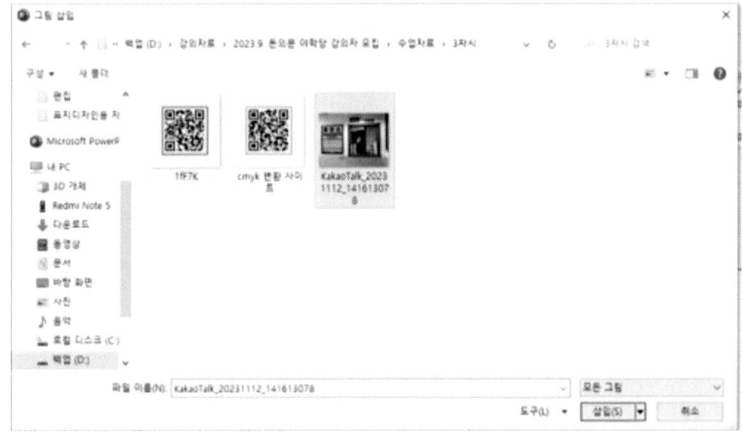

불러온 그림은 크기와 위치를 조절하여 원고를 디자인합니다. **'그림 선택 → 그림 서식 → 그림 스타일, 배경 제거, 수정, 색, 꾸밈 효과, 투명도'** 등의 기능을 이용해 그림을 편집하고 적당한 위치를 잡아주세요.

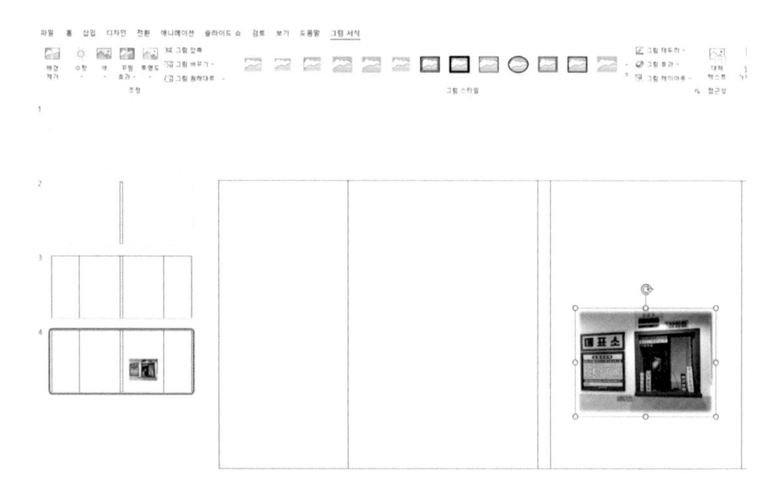

그림 삽입. 상단 '그림 삽입' 메뉴를 활용해 그림을 편집

(5) 표지에 글씨 삽입: 삽입 → 도형 → 텍스트 상자(표지: 가로 상자, 책등: 세로 상자) 선택 → 글자 쓰고 글씨체, 크기, 색상 지정

위와 같은 기능으로 표지를 충분히 꾸며주세요. 뒤표지 하단 좌측은 출판사에서 바코드를 삽입하는 자리이니 디자인할 때 비워주세요.

(6) 출판사 로고 삽입: 그림 넣는 방법을 이용해 출판사 로고를 표시해 주세요. 6종의 로고 파일 중 가장 표지에 알맞은 로고를 선택해 주세요. 로고 위치는 하단에서 최소 1cm 이상 표지 안쪽으로 정렬해 주세요.

(7) 디자인 마무리, 가이드라인 지우기: 도형 선택 → 도형 서식 → 선 → 신 없음

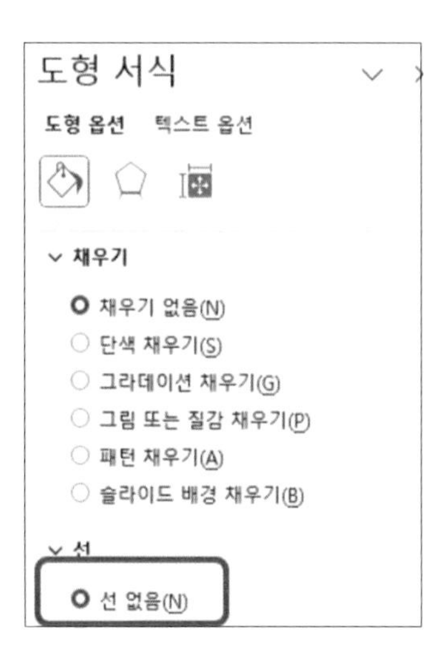

전체 직사각형의 선을 없애면 가이드 선이 없는 표지가 완성됩니다.

여기까지 끝났으면 표지 디자인 완성입니다! 이제는 표지를 고화질 PDF로 저장할 차례입니다.

③ 고화질로 표지 저장하기

(1) 레지스트리 편집: 파워포인트의 기본 해상도 값은 96~200dpi입니다. 이 해상도를 300dpi로 만들어야 합니다. 그 방법은 '레지스트리 편집'에 있습니다.

(가) 파워포인트 창을 띄워둔 상태에서 → 찾기 → regedit 입력 → '레지스트리 편집기' 실행

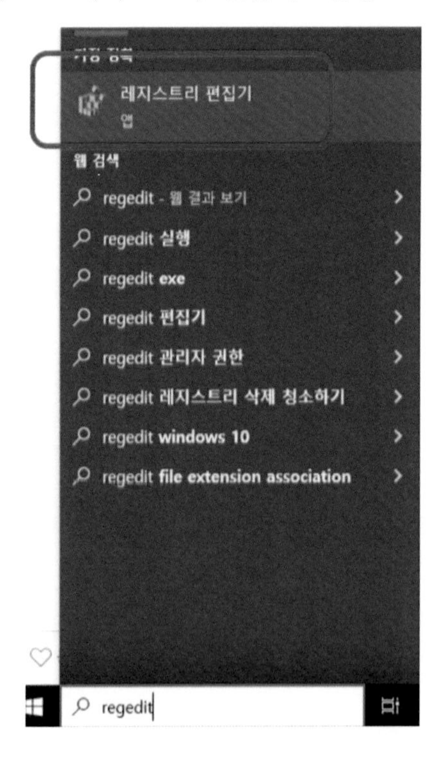

(나) 편집기 폴더 위치 확인(₩HKEY_CURRENT_USER ₩SOFTWARE ₩Microsoft ₩Office ₩16.0 ₩PowerPoint ₩Options)

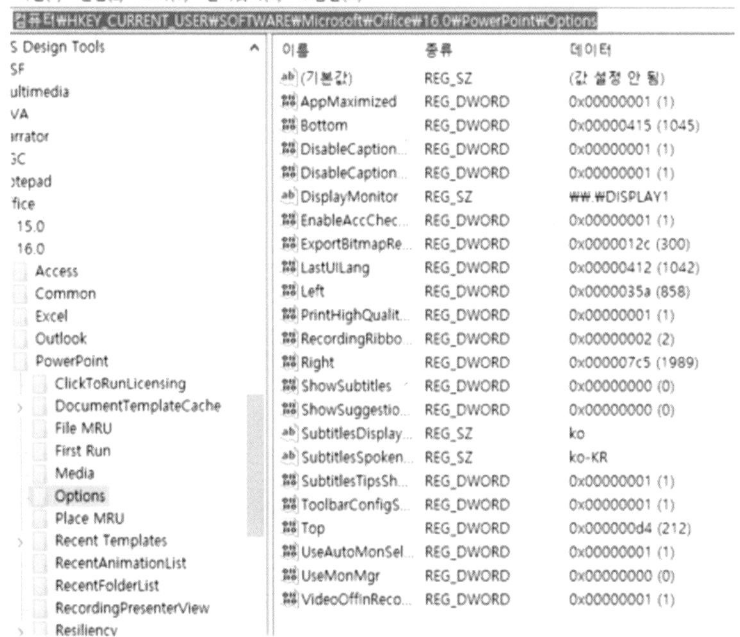

(다) 편집 → 새로 만들기 → DWORD(32비트) 값 선택

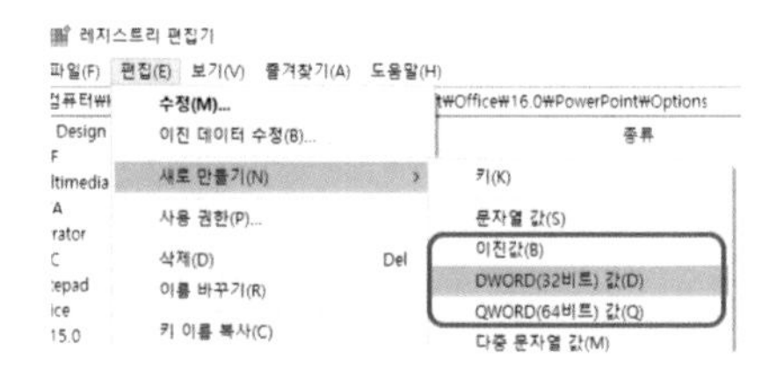

(라) 새 값의 이름 바꾸기: ExportBitmapResolution

UseMonMgr	REG_DWORD
VideoOffInRecordingPresenter...	REG_DWORD
새 값 #1	REG_DWORD

이름 변경 전

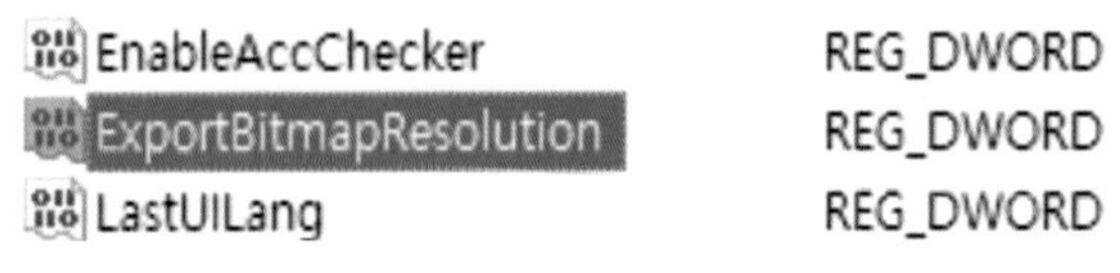

이름 변경 후

(마) 마우스 우 클릭 → 수정 → 단위 10진수 선택 → 값 데이터 300 입력 → 확인

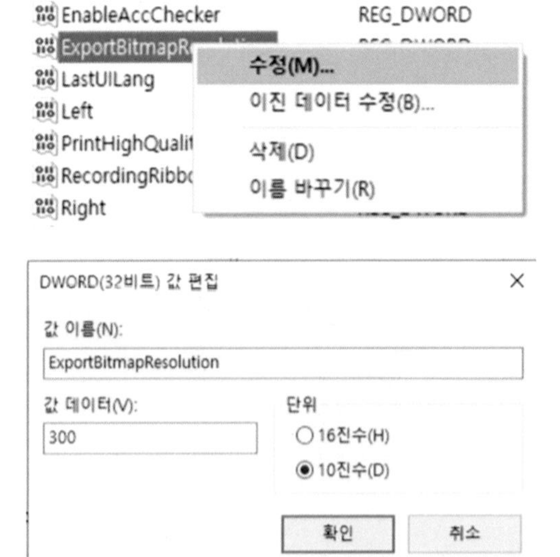

레지스트리 편집은 최초 1회만 하시면, 그다음부터는 저장된 값으로 파워포인트에 dpi값이 적용됩니다. 한 번만 고생하시면 됩니다. 이렇게 dpi 값 설정을 변경한 후, 다시 파워포인트로 돌아가 표지를 저장합니다.

(2) 고화질로 표지 저장하기: 표지 저장하기(JPG vs PDF): 파워포인트 → 홈 → 다른 이름으로 저장 → JPEG 파일 그림 형식 선택 → 이름 변경 후 저장

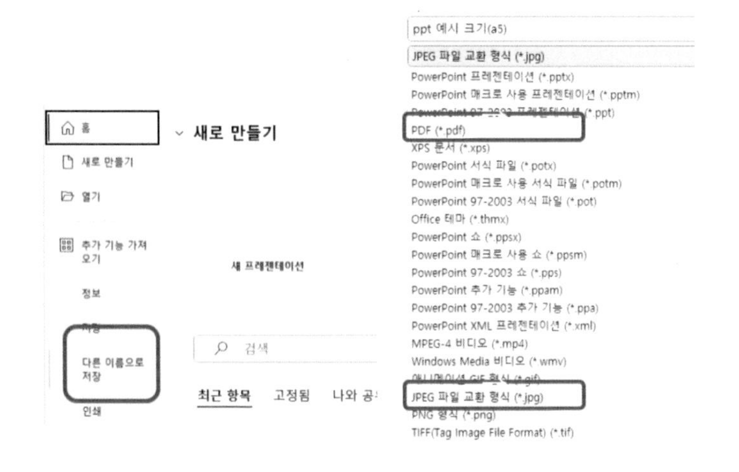

이렇게 예비 작가님의 원고 편집 및 표지 제작이 끝났습니다. 이제 출판사 부크크에 원고만 업로드 하시면, 출판 준비가 마무리됩니다. 그럼, 단계로 가볼까요?

6. 부크크에 원고 등록하기

① 도서 형태

- 책 만들기 → 종이책 만들기 → 컬러, 책 규격, 표지 재질, 책날개 선택 → 장수 입력 → 원고등록 선택

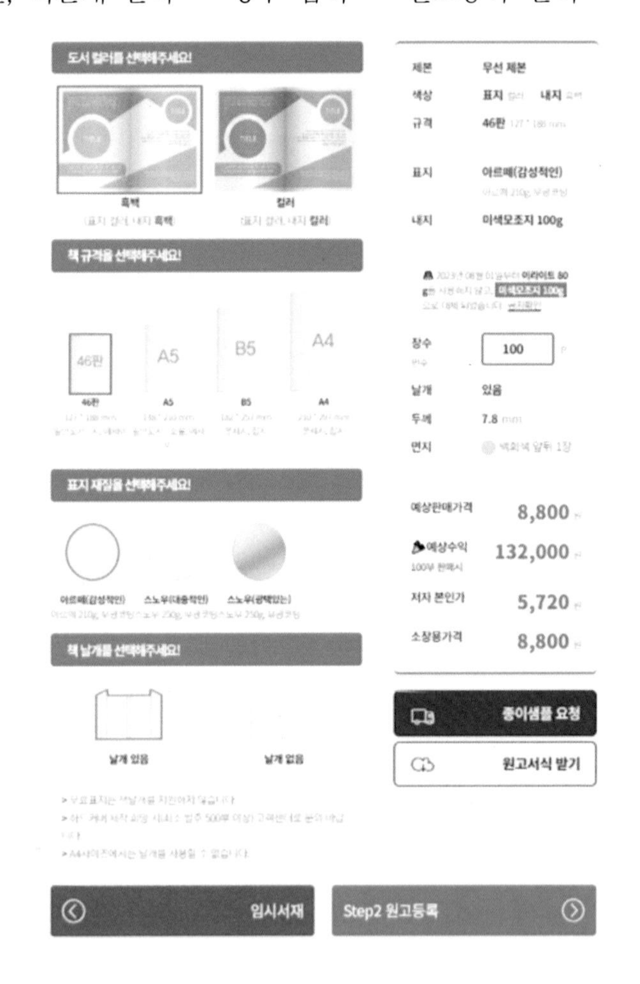

② 원고등록

- 도서명(표제), 대표 카테고리, 성인도서 여부, 저자, 페이지수 입력

- 도서 제작 목적은 'ISBN 출판 판매용' 선택, ISBN 입력은 '부크크에서 무료 등록' 선택

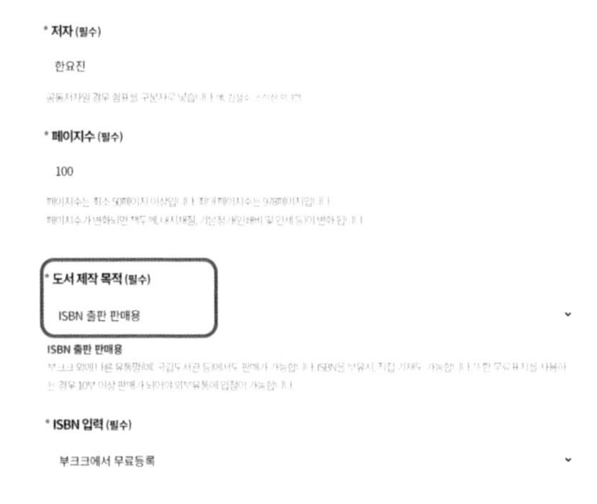

- 원고 업로드 후 표지 등록 선택

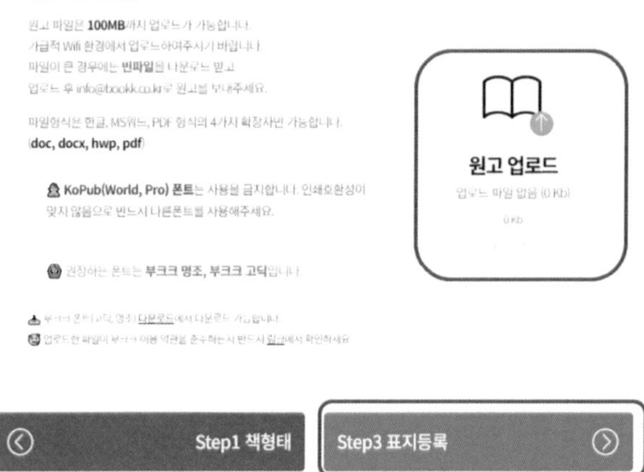

③ 표지 디자인

- 표지 업로드 → 가격정책 선택

- 로고는 사전 표지 디자인에 첨부했으므로 기본값으로 두기
- 업로드된 표지 확인하기(섬네일 상에는 로고가 2개 나타나지만 실제로는 작가가 직접 입력한 출판사 로고로만 표지가 제작됨)

④ 가격정책

- 정가 설정: 최소 가격이 기본값, 작가 의사에 따라 조절 가능 → 외부서점 입점 '네' 선택 → 최종 확인 선택

⑤ 최종 확인

- 도서 소개, 도서 목차, 저자 경력 및 소개 입력 (외부 유통 사이트에 노출되는 도서 정보임)

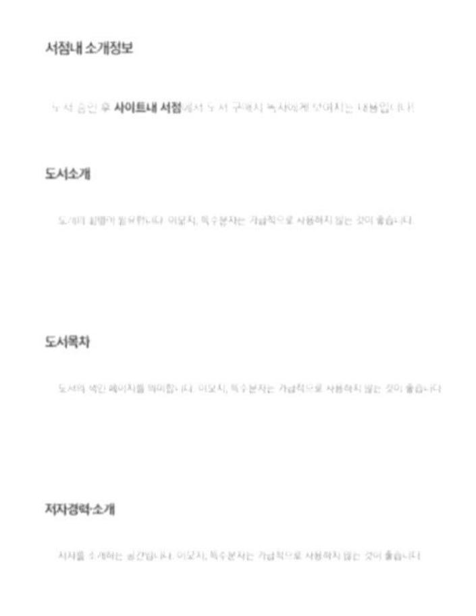

7. 도서 발행

원고를 제출하면 부크크에서 1~3일 이내에 이메일로 연락이 옵니다. 원고에 이상이 없으면 ISBN과 발행일을 알려 줄 것입니다. 그러면 원고 판권지 부분에 ISBN과 발행일을 수정하여 부크크 이메일로 답장해 주면 이것으로 발간에 필요한 작업은 마무리가 됩니다.

혹시 원고에 수정이 필요한 부분이 생기면, 부크크 출판사에서 상세히 이메일로 안내해 주니, 안내에 따라 수정하시면 됩니다.

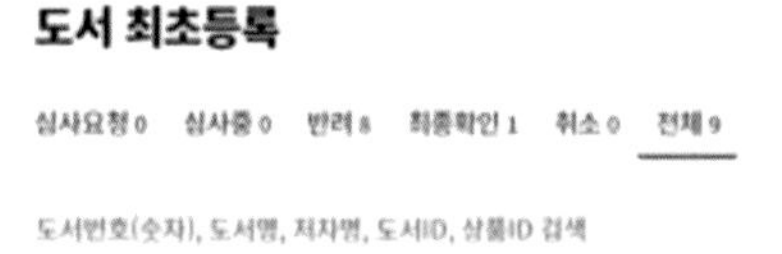

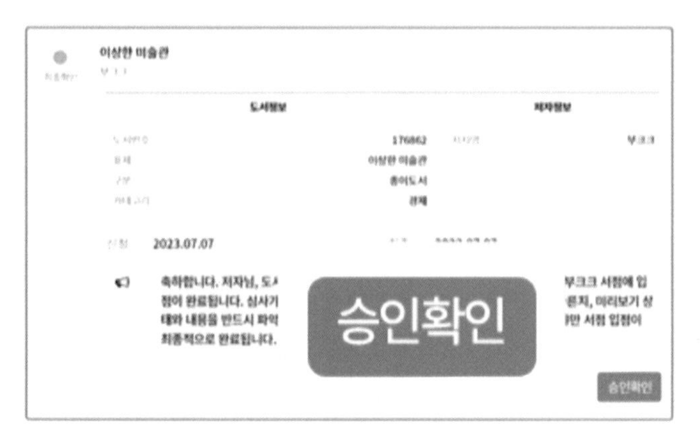

ISBN과 발행일을 수정한 원고가 출판사에 접수되면, 이메일로 '원고 확인' 요청이 옵니다. 설명에 따라 시안을 확인하고 '승인 확인'을 눌러주시면 발행이 됩니다.

승인이 확인되면 부크크 홈페이지에서는 바로 도서 판매가 시작되고, 외부 유통은 유통사에 따라 1~4주가량 이후에 도서 판매가 시작됩니다.

작가님의 작가 데뷔를 진심으로 축하드립니다!

Epilogue. 꿈을 이룬 작가님께

작가님, 직접 원고를 편집하고 표지를 디자인하는 작업은 어떠셨나요? 최대한 간단하고 쉽게 작업하실 수 있는 방법으로 튜토리얼을 작성했습니다만, 그 과정이 쉽지만은 않으셨을 것으로 짐작합니다. 저 역시 그랬습니다.

저는 처음 독립출판 방법을 배울 때 '인디자인'이라는 프로그램을 익혔습니다. 사용법이 어렵지는 않았으나, 수강을 위해 구매한 노트북과 해당 프로그램의 상호성에 문제가 있어 원고 첫줄이 계속 밀리는 오류가 있더군요. 달마다 사용금을 지불해야 하는 프로그램이 계속 오류가 있으니, 이 프로그램을 사용하고 싶지 않았습니다. 더 쉽게 원고를 작성할 방법이 없을지 고민했고, 방법을 찾았습니다.

일전에 인디문화 관련된 수업을 들은 적이 있는데, 그때 독립서점을 견학하는 프로그램이 있었습니다. 여러 독립 서적들을 구경하는데, 한 서적에 '한컴오피스'로 원고를 작성했다는 문구를 보게 되었습니다. 한컴오피스는 초등학교 때부터 사용법을 배워오고, 직장(저는 학교였지요.)에서 업무용으로 숱한 사용을 해온 터인지라 "바로 이거다!"라는 느낌이 딱! 왔습니다.

대학원에서 수업을 듣는데, 한 교수님께서 '부크크'를 이용해 동양 사서를 번역하시고, 그 책을 수업교재로 하여 수업을 듣곤 했습니다. 그렇게 '부크크'라는 출판사도 알게 되었습니다.

여러 경험이 겹쳐 결국 저는 한컴오피스, 파워포인트라는 간단한 툴로 독립출판을 할 수 있는 방법을 알게 되고 실천했습니다. 보다 간단하고 쉬운 방법으로 출판의 꿈을 가진 많은 분들이 그 꿈을 이루실 수 있도록 저의 경험을 나눠드리고 싶었습니다. 그 경험이 작가님께 도움이 되었다면, 저는 그것으로 대만족합니다.

책을 발간하셨으면, 이제 적극적으로 자신의 책을 홍보할 때입니다. 사용하시는 SNS에 홍보 글도 올려보시고, 친한 지인의 단톡방에도 소문을 내주세요. 독립출판 서적을 수서하는 도서관에 희망 도서도 신청해 보시구요.

끝으로 유통에 대한 팁을 한 가지 더 드려볼게요.

부크크의 경우 ‘종이책’은 외부 유통을 자체적으로 해주기 때문에 작가님은 ‘외부 유통 신청’만 하시면 됩니다. 그러나 종이책을 토대로 제작한 ‘전자책(PDF)’의 경우는 부크크에서 따로 외부 유통을 진행하지 않고 있습니다. 이러한 전자책을 외부 유통해주는 대행업체가 ‘유페이퍼’라는 곳과 ‘작가와’라는 곳이 있습니다.

‘유페이퍼’는 전자책 유통업체로는 국내에서 손꼽히는 유명한 곳입니다. 유통사도 교보문고, YES24, 알라딘을 포함해 리디북스, 밀리의 서재 등까지 폭넓게 거래하는 업체입니다. ‘작가와’라는 곳은 2022년 생긴 신생 업체인데요, 이곳은 교보문고, YES24, 알라딘, 북큐브, 밀리의 서재에 유통을 대행해 주는 곳입니다. 두 곳의 인터페이스와 수수료 등을 비교해 보시고, 더 자신과 맞는 업체를 선택해서 전자책은 외부 유통을 신청하시면 됩니다. 참고로 말씀드리면 제가 원고를 제작하는 때를 기준으로는 작가와 쪽이 수수료가 더 적은 것으로 파악되었습니다.

책을 출간하시면, 특히 종이책을 출간하시면 지인들이 구매한 책에 사인을 하는 경우가 종종 생길 겁니다. 고맙고 쑥스러운 그 순간이 작가님께도 많이 생기셨으면 좋겠습니다.

처음 책을 출간하면, 기대했던 것보다 실적이 저조할 수 있습니다. 그런데 작가님, 많이 팔리고 유명하다고 꼭 좋은 책인 것은 아닙니다. 소수의 누군가에게라도 도움이 되고, 위로가 되는 책이 좋은 책이라고 저는 생각합니다. 그런 소수에게 귀 기울여주시는 작가님 덕분에 제가 책으로나마 작가님을 만나 뵙게 된 것이지요. 참으로 귀한 인연입니다.

외부 유통이 시작되어 네이버 포털사이트에서 작가님의 책이 검색되면, 바로 네이버에 인물 등록도 하시고, 한국예술인복지재단에 예술활동증명도 신청하셔서 예술인패스도 발급받으시기를 바랍니다. 책 출간에서 시작하여 더 다양한 분야로 활동할 수 있는 길의 초석이 될 것입니다.

두려워하지 마시고, 한 걸음 한 걸음 앞으로 나아가시길 바랍니다.

작가님의 원하는 바, 뜻하는바 모두 이루실 대기만성의 그날을 응원하겠습니다.

- 2024. 1. 북방의 계절에 서서, 한요진 드림 -